JN051880

STEM で ギタンジャリ・ラオ 未来は変えられる

ギタンジャリ・ラオ 著　堀越英美 訳

くもん出版

私を信じ、

失敗からの学びを見守ってくださった

すべてのメンターと先生方に捧^{ささ}ぐ。

訳者前書き

　この本の著者であるギタンジャリ・ラオさんは、2020年に米タイム誌初の「キッド・オブ・ザ・イヤー（今年の子ども）」に選ばれた、15歳（さい）の科学者です。

　ギタンジャリ・ラオさんがどのようにすごい女の子なのかについてふれる前に、本書にたびたび登場する「STEM」という言葉の解説からはじめましょう。STEMとは、Science（科学）、Technology（技術）、Engineering（工学）、Mathematics（数学）の4領域の頭文字をとった言葉です。アメリカではオバマ政権がSTEM教育を国家主導で推進したことから、広く知られる言葉になりました。社会のグローバル化と情報化が進む中で、STEM関連職で働く人の育成・確保は、どの国にとっても緊急（きゅうてき）的な課題です。また、STEM分野で働く女性・マイノリティが少ないことから、女性・マイノリティのSTEM分野参入も強く求められています。さらに身のまわりがコンピュータで制御（ぎょ）される社会の到来（とうらい）を見据（みす）えると、ゆくゆくは社会を構成する人すべてが、STEM知識を基礎教養として備（そな）える必要があるといえるでしょう。

　STEMとは単に、理系科目を意味するだけの言葉ではありません。理系の勉強というと、実生活で使わない概念（がいねん）や知識を暗記し、ひたすら問題集を解き、テストで正解を効率よく導きだせないと落ちこぼれてしまうという印象から、苦手に感じる人

も多いかもしれません。しかしSTEM教育では、身のまわりの世界から問題を発見することが重視されます。問題を発見したら、その問題を解決する方法を、STEM分野の知識を統合的に活用して考える。自分に足りない知識や技術があると感じたら、インターネットや書籍、その分野の専門家の力を借りながら、主体的に学びとる。みずからの手で作っては壊し、試行錯誤しながら、解決策を形にしていく。それがSTEM的な思考法です。勉強は必要ですが、たったひとつの正解ではなく、問題を解決するために自分なりの答えを出すことが重要になります。困っている人への思いやりや幅広い興味、複数の領域を横断的に結びつける直感力も、おおいに役立つでしょう。

　そんなSTEMの理念を体現したようなスーパーキッズ、それが本書の著者、ギタンジャリ・ラオさんです。11歳で水道水から鉛を検出する装置「テティス」を発明し、一躍有名になった彼女ですが、いわゆる英才教育を受けたエリートというわけではありません。9歳で水道汚染問題を知ったとき、彼女は「鉛（lead）」という単語すら知らなかったというからおどろきです。それでも水道汚染の被害者を救おうと決意した小学生の彼女は、周期表を覚えるより先に、ナノテクノロジーや3Dプリンティングなど、問題解決に必要な最新知識を、インターネットや大人の助けを得ながら学んでいきました。

　その後の発明でも、いじめに使われる可能性のある単語を送信前に書きかえるように提案するネットいじめ予防アプリ「カインドリー」ではプログラミングとAI、鎮痛薬オピオイド依存症の早期診断装置「エピオーネ」では遺伝子工学といったように、彼女が活用する学問領域は一見バラバラです。ひとつの

左：水質サンプルを採取するギタンジャリさん。
右上：テティスの初期のプロトタイプ（試作品）をテスト中。当時11歳。
右下：「ヤングサイエンティストチャレンジ」でテティスについて発表。当時11歳。

　学問領域の専門家になるのではなく、困っている人を助けたいというモチベーションから、解決したい社会問題に応じて必要な技術を学び、形にしているのが、ギタンジャリさんのすごいところです。
　一般的に、人間の活動に興味のある人は文系、自然など身のまわりのモノに興味のある人は理系が向いているといわれています。しかしSTEMでの問題解決では、ギタンジャリさんが「思いやり」を強調するように、人間への興味が大きな原動力になります。従来の理系というくくりには入らない社会問題や、人の気持ちをゆさぶるアートに興味がある人でも、STEM分野なら活躍できる余地がたっぷりあるということです。

最近では、STEMにArt（アート）をプラスしたSTEAMという言葉もよくきかれるようになりました。テクノロジーを利用しつつ、人間らしい感情や創造力を活かせる人が、現代社会に求められるSTEM（STEAM）人材といえるのかもしれません。

　ギタンジャリさんは、この本の中で一貫して、問題解決のための開発を「イノベーション」と呼んでいます。イノベーションというと、革新的なビジネスで経済的な競争力を高める企業戦略という印象がありますが、ギタンジャリさんはイノベーションをこう定義しています。「問題を解決するために、新しい何かを、作りあげたりさらによくしたり学習したりするプロセス」。実社会の課題を解決するためにSTEMの知識を活用し、未来をほんの少しでも変えれば、それはイノベーションなのです。未成年の個人でも、問題を解決したいという強い情熱をもち、失敗にめげず、本書が示すプロセスを根気強くたどれば、「あなたが望むどんな高みへでものぼっていけるようになります」と、ギタンジャリさんは説きます。

　STEM教育ということでいうと、全国の図書館で無料の3D

左：テティスの3番めのプロトタイプ。
右：グローバル・グランド・チャレンジ・サミット2019のオープニングで発表。当時13歳。
Photos by Bharathi Rao

プリントサービスが利用できるようなアメリカほど、日本は充実しているとはいえません。それでも、小学校で2020年度から、中学校で2021年度からプログラミング教育の必修化がはじまるなど、STEM教育は少しずつ進みつつあります。インターネット上には豊富な学習サイトがありますし、STEMを打ちだした国内の中高生対象のプログラムやコンテストも生まれつつあります。「訳者あとがき」で日本版の情報源や日本のコンテスト情報も付記しましたが、やりたいこと、知りたいことのために語学力を身につけて、海外の情報源や国際的なコンテストにトライしてみるのもいいでしょう。STEMに国境はありません。

　本書は、ギタンジャリさんがさまざまな領域でのイノベーションをいかにしてやってのけたか、必要なプロセスを惜し気もなく教えてくれる、STEMによるイノベーションの入門書です。この本には、具体的なものの作り方は載っていません。どんな問題を解決したいか、何を作るかは、読者にゆだねられています。何かを作りたいけどどこからはじめればいいのかわからない、何を勉強すればいいのかわからないというときに、つまずきを乗りこえて進めていくためのヒントをあたえてくれる本です。何でもいいから人の役に立つものを作ってみたい人、テスト勉強を知らなかった小さいころのように学ぶことを純粋に楽しみたい人、同世代のすごい人を見てモチベーションをあげたい人、STEM系のコンテストで入賞したい人、他のだれでもない自分らしさとは何かを見つけたい人、自分のできることでだれかを笑顔にしたい人。この本は、そんなあなたのための本です。

目 次

発 見

解 決

はじめに

　イノベーションの道に足をふみいれ、モノづくりを通じて身のまわりの問題の解決にとりくみはじめたころ、私は不安でいっぱいでした。自分が何をしているのか、このやり方でいいのか、まったく自信がありませんでした。課題を分析し、解決へのアプローチをよりわけ、実行可能な解決策を構築するまでの、はっきりとした見通しがなかったのです。そのため私はステップを進めるたびに悪戦苦闘し、次のステップが何なのかもわかりませんでした。インターネット上には、イノベーションに関する情報源がいくつかありました。でも、明快で役に立つアドバイスがそえられ、アイデアや解決策を生みだすために使える発想ツール類を備えた、シンプルなわかりやすい工程はなかったのです。いちいち右往左往し、意見を求めるのも、メンターを見つけるのも、専門家とやりとりするのも、新しいテクノロジーを紹介してもらうのも、すべてが手さぐりでした。

　イノベーションに関するトークイベントを開催した際に、学生たちからよせられた質問が、この問題をほりさげて考えるきっかけになりました。

　学生たちの質問はこのようなものです。どの学生も、みんな切実に知りたがっていました。

「学業とイノベーションへの挑戦を両立するにはどうすればいいですか？」

「どの課題に挑戦すればどのようなスキルが身につくのか、わかる方法はありますか？」

「どうすれば学校で教わったことのない技術を深く学ぶことができますか？」

「どの解決策がうまくいくか、どうすればわかりますか？」

「学校の友人たちはあなたのことをどう思っていますか？」

「国際学生科学技術フェアなどの科学コンテスト受賞者の中には、ひらめきを得たきっかけについて語る人がたくさんいますが、ひらめきをどう実行に移すんですか？　私たちにはひらめきだけでなく、そこからの手順のマニュアルが必要なんです」

「実績をあげるために、高校在学中だけイノベーションについて考える学生がほとんどです。大学の入学審査にカウントされるわけじゃないのに、なぜ幼いころからはじめたのですか？その時間に価値はありますか？」

「両親はどのくらい手伝ってくれますか？」

「メンターや教授にはどうやってアプローチすればいいですか？」

「あなたがたどってきた過程で、私たちがまねできるものはありますか？」

　他にもいくつか質問がありましたが、だいたいおわかりいただけたでしょう。学生たちが私に求めているのは、こうした疑問について、ただ語り合うことだけではないのです。疑問を書きとめ、その答えを届けてほしいと思っているのです。私は期待を上回る形でそれに応えようと決めました。疑問に答えるだけではなく、もっと情報をもりこんで、本にまとめることにしたのです。

そうして生まれたのがこの本です。本書を通じて、イノベーションに関するあらゆる疑問に答えるとともに、革新的な解決策を開発しようとしている探求心の強い若者に、自分なりの道を切り拓くための情報源、発想ツール、ヒントを届けたいと思います。みずからの道を心に描き、自分自身に挑戦し、ぬるま湯からとびだしてだれも知らない未来への準備をはじめる人を、本書が後押しできるよう、同世代のひとりとして願っています。

この本について

　だれかにこんなことをいわれたことはありませんか？
「何でもいいからアイデアを出して！」
　なんだか楽しげにきこえるこの言葉。でもいざアイデアを思いつこうとすると、たちまちいきづまってしまうのはよくあることです。アイデアがうかばず苦しむ作家のように、イノベーターにも生みの苦しみはあります。どんな問題を解決したいのか、どうすれば解決策を思いつくのか、なぜどれもうまくいかないのか。それは複雑なプロセスです。私たちのような若いイノベーターは、いきづまってしまうことが怖くて、イノベーション自体をあきらめてしまうことがよくあります。だから、はじめにはっきりといっておきます。アイデアを思いつくのは難しいということを。満足できるアイデアを思いつくまでに、数週間、数か月、ことによると数年かかるかもしれません。けれども重要なのは、それもイノベーションの長いプロセスの一部だということです。永遠に続くように感じられるとしても、実現できるアイデアがいつかは思いうかぶでしょう。そのアイデアで、世界的飢餓、地球温暖化、ネットいじめといった大きな問題を解決できるかもしれません。でもまあ、最初から大風呂敷を広げすぎないようにしましょう。
　はじめる前に、この本の存在意義と、私が伝えようとしている考えをおおまかにとらえてほしいと思います。イノベーショ

ンは、目新しい言葉のように見えるかもしれませんが、私たちの社会を構成する要素を組み合わせたものです。そこには問題解決、創造性、そして新しい技術開発も含（ふく）まれます。イノベーションがなかったら、私はこの本をパソコンで執筆（しっぴつ）することも、みなさんに届けることもできなかったでしょう。

　みなさんに考えていただきたいのは、なぜ自分がここにいるのか、なぜイノベーションをしたいのかということです。自分がこの世界にもたらす変化を想像してほしいのです。あらゆるイノベーションの第一歩は、前向きな考え方をもつことです。自分の目標を把握（はあく）し、その全体像を心に刻み、自分がここにいる理由を理解しましょう。想像してみてください。完成した製品を手にしている自分を。どこか遠い場所で製品テストをしている自分を。人々に衝撃（しょうげき）をあたえている自分を。

　前向きさについてイメージしていただくために、お気にいりの話からはじめたいと思います。私が4歳（さい）のときの、ある雨ふりの火曜日のできごとです。幼い私は、ピクニックにいこう、と思い立ちました。窓の外をながめたら、雨がふっています。とてもがっかりしましたが、雨なんかに負けるもんか、と心に決めました。小雨（こさめ）程度であきらめるつもりはありませんでした。そう、あきらめなかったんです！　長靴（ながぐつ）、レインハット、ママのハイヒール、サングラスを出してきて、傘（かさ）をさし、バスケットをつかんで家を出ました。

　ピクニックにぴったりな場所を見つけようと、何軒（なんけん）か先の家まで歩いていきました。私は超（ちょう）ニコニコ、超ワクワクしながら座ってくつろぎ、今までにないピクニックを楽しみました！毛布をしいてバスケットを開こうとすると、夕飯に呼ぶ声がき

こえました。家に帰らなくてはいけない時間です。帰り道、私はなおもニコニコしながら、おやつ用につめこんだチップスをつまみ食いしていました。

この話のポイントは、雨がふっていても、4歳でも、自分がピクニックにいきたいとわかっていて、何があってもやめようとは思わなかったというところです。雨でも絶対に楽しめるとわかっていたから、前向きな気持ちで外に出ました。みなさんにも同じことをしていただきたいのです。本書のページをめくっているときに、自分には無理だとか、難しすぎるという気持ちがわいてきても、そんなことは（小雨だと思って）無視してください！ 雨ふりという状況を利用して、ピクニックに仕立てましょう。

前向きな姿勢をもってすれば、やる気次第でどんなことでもできます。ひとりきりでだれも見ていなくても、一息おいてにっこり笑い、それから声に出していってみてください。「本気でやればなんでもできる」。何度か口にしてください。叫ぶのもありです！ これで、読書や探究を続ける気力がわいてきたでしょう。イノベーションの奇跡があなたを待っています。

■ この本の対象読者

本書ではイノベーションのプロセスを体験し、みずからのアイデアで世界に挑むためのベストな方法を、具体的なコツとともに学びます。学生だけでなく、イノベーションの過程を通じてお子さんや生徒を成長させたいと考えているご家族や先生方にも、ぜひ読んでいただきたい一冊です。

■ 学生のみなさんへ

　この本を通して読めば、ひらめきを発見し（あるいは自分の中のひらめきを育て）、イノベーションによって現実社会の問題を解決し、問題意識を広め、みずからの解決策を世に問う手順がわかります。みなさんにお伝えするのは、イノベーションをおこすために使える簡単な5ステップのプロセスです。このプロセスはくり返し使えるので、自分のプロジェクトだけでなく、その他のイノベーションの試みにも利用できるでしょう。各ステップの章末にあるワークでは、実際に手を動かすことによって、イノベーションの基本を理解できます。

■ 保護者のみなさんへ

　みなさんが手にしているのは、お子さんを指導し、プロジェクトをアイデアから実現に導く実用的なヒントや情報が満載（まんさい）の本です。有名なSTEMコンテストに出る計画を立てて人に差をつけるやり方も掲載（けいさい）しています。各ステップごとに、科学や技術の力でコミュニティに変化をおこそうとしている若者を紹（しょう）介（かい）する「10代のイノベーション事例」のコーナーがあります。こうしたお手本を目にすることで、お子さんたちが大局的に、既成概念（きせいがいねん）にとらわれることなく考えられるようになることを願っています。また巻末には、お子さんたちがSTEM教育にふれられるキャンプやイベントなどの情報をもりこんでいます。

■ 先生方へ

　各ステップごとにワークを、巻末には授業計画を掲載しました。ワークと授業計画は、先生方とその生徒のみなさんのために特別に用意したものです。生徒に実践的スキルをつけさせ、成長を促すだけではなく、どの年齢層の生徒にも魅力的な体験となるはずです。各授業計画ごとに、「導入（Inspire）」、「参画（Engage）」、「実践（Immerse）」の段階があります。

　本書は学びたい、人の役に立ちたい、革新的な未来を創造したいと思っているすべての人のための本です。ここで、執筆の際の指針にしていたベンジャミン・フランクリンの言葉を引用します。「いわれたことは忘れる、教わったことは覚える、関わったことは学ぶ」。私はみなさんに関わってもらい、プロセスをただ覚えるだけではない、楽しく魅力的な体験をしていただきたくて、本書を執筆しました。体験から学び、日々の生活に活かしてください。

この本の読み方

　イノベーションのいいところは、自分のペースで進められることです。時間をかけてゆっくり進めてもいいし、スケジュールを決めて、アイデアからプロトタイプ（試作品）、もしくは本番の製品を作りあげるまでの全プロセスを、3か月で終了することもできます。その過程で新しいテーマについて学び、ヒントを共有し、他の事例を知ることになるでしょう。本書は3つ

のセクションにわかれています。

「**発見**」…真のイノベーションとは何か、なぜイノベーション
に夢中になるべきなのかを学びます。私たちが直面している問
題にとびこみ、イノベーションの世界での実例について学びま
しょう！　「発見」パートは、イノベーションの世界にまずは
参加し、自分の中のイノベーターを見つけることをねらいとし
たセクションです。自分の「生きがい」を見つけ、何からはじ
めればいいのかを学びます。イノベーションの高次元の目的
や、イノベーションが現代社会に不可欠とされている理由につ
いても発見することになるでしょう。

「**解決**」…解決策を生みだし、現実の問題に挑（いど）むためのプロセ
スを順にたどっていきます。標準的なプロセスで使える実践的（じっせんてき）
なヒントや発想ツールについて学びましょう。このパートで示
す5つのステップを、ぜひ自分のものにしてもらいたいです。
イノベーションのプロセスをどのように進めていくかについ
て、リアルな一部始終をお伝えします。ひとくちアドバイス
や、10代によるイノベーションの事例ももりこみました。最
後に記入式のワークを使って、プロセスを体験できます。

「**実践**」…人助けの手段としてのイノベーションの背後にひそ
む、真の意義を理解します。自分のアイデアで社会に貢献（こうけん）する
方法を学び、解決しようとしている問題に対する認識を広め、
さらにさまざまなコンテストに参加してフィードバックを受け
ましょう。実践することにより、社会に足跡（そくせき）を残せます。そこ

から、近くに住んでいる10代のイノベーターたちとの連鎖反応がはじまります。自分のアイデアを実行に移す方法を学び、コンテストに出ることで、知名度をあげ、変化をもたらしましょう。

　それから、前進し続ける意欲をかき立てる「結論」とともに、イノベーションの世界をもっとほりさげることができる「情報源」で本書を締めくくります。

　各種マークの意味は以下のとおりです。

イノベーションのプロセスをたどる上で役立つひとくちアドバイスです。

先生向けの授業計画です。生徒自身のワクワクを呼びおこしながら、イノベーションのプロセスを段階的に説明することができます。

学校や家庭向けに考案したワークです。どれだけ進歩したかをチェックしながら、課題にとりくむことができます。ワークシートをダウンロードできるQRコードも用意しています。

全米の10代の若者が探求しているさまざまなイノベーション事例を紹介しています。参考にしてみてください！

ここでちょっとだけ時間をとって、下記の欄に今日の日付を
書きこんでください。

今日の日付：

　次に、実際の制作物を作りだすという目標を達成したい日付
を書きとめてください。

目標達成予定日：

　あなたが今書きとめた目標達成予定日は、「結論」でふり返
ることになるでしょう。自分で目標を設定することは、モチ
ベーションを維持し、先に進むための偉大なる第一歩です。

　前置きはこれで最後です！　本書を読んでいて、もっとヒン
トやアイデアがほしいと思ったら、私のYouTubeチャンネル
「Just STEM Stuff」と併設のブログ（https://gitanjali-jss.blogspot.
com/）にアクセスしてください。さらなるイノベーションのヒ
ントや、もっと楽しめるアクティビティをたくさんご紹介して
います。

　さあ、シートベルトを締めて！　鉛筆やペンを用意し、快適
な場所を見つけて、出発しましょう。新しい概念を学びはじめ
ることに、みなさんがワクワクしていますように。イノベー
ションの世界へようこそ！

私がたどってきた道

　まず、自分の話からはじめたいと思います。自分がしていること、その目的とやり方、そしてこの本を執筆している理由について。私をひとことで説明するなら、科学マニアで発明家です。身のまわりの課題を発見しては、新しいアイデアを考えるのが大好きです。

　調査や開発に多くの時間を費やしているものの、私は同年代の学生たちとあまり変わりありません。大好きなのは、パンを焼いたり、ハイキングにいったり、フェンシングをしたり、ピアノを弾いたり、その他もろもろの趣味に手を出したりすること。科学と発明も、趣味のうちのひとつにすぎません。この本を読んでくれている人は、きっとこんな人たちでしょう。同じように心からイノベーションを楽しんでいる人、イノベーションをやってみたいと思っている人、コンテストに出たいと思っている人、高校生のうちに科学技術に重点をおいた実績を作ろうととりくんでいる人。

　最高のアイデアを、何でもないふだんの生活の中で思いつくことがよくあります。泳いでいるとき、リビングルームを歩きまわっているとき、冷蔵庫からレモネードをとりだしているときなんかに、いいアイデアがパッとひらめいたりします。ほんとに？と思われるかもしれませんが、それこそがイノベーションというものなのです。たいていは思いがけないタイミング

で、すべてがうまくいきはじめるのです。

　いま一番お気にいりのアイデアは、5年間にわたりとりくみ
続けてほぼ製品化寸前までこぎつけているものですが、それが
ひらめいたのは、ある日の放課後、夕食のテーブルでパスタを
食べている最中でした。ふだんにもほどがありますよね？

　当時、私は9歳でした。私は両親と弟とテーブルにつき、父
の得意料理のパスタをもりもりほおばっていました。私は作り
かけだった大作レゴの作業に早くもどりたくて、喉にパスタを
おしこんでいました。いつものように、夕食中に流しっぱなし
のニュースがきこえます。うちの家族は、食事中は少々騒がし
くしているのが好きだったのです。何口目かのパスタをフォー
クにからめているとき、何かが私の心をとらえました。ニュー

スキャスターが、こんなことをいっているのがきこえたのです。

「ミシガン州フリントは水が鉛に汚染されるという危機に直面しています」

　このニュースだけはきかなきゃ、と感じました。私はテレビに全神経を集中させ、神経に障害を負った同年代の子どもたちを見つめました。何かがおかしいと感じました。

　すぐに両親にたずねました。

「なぜあの子たちは、あんなひどい目にあっているの？」

　母も同じ気持ちだったのでしょう。こう答えてくれました。

「きれいな水が飲めないからよ。飲み水に鉛が入っていたの」

　私はもうひとつの質問を切りだしました。

「鉛って何？」

　ここで父も会話にまざります。

「鉛は元素の周期表にある金属だよ。フリントの水道管が腐食して、鉛が知らない間に水に入りこみ、水を毒にしてしまったんだ」

　不公平だと思いました。なぜ、私と同じような子どもたちが、安全な水を飲めないのでしょう。私は冷たい水をひとくち飲んでしばらくながめ、ふたたび母のほうに目を向けました。弟はおしゃべりを続けています。私はグラスを指さしました。

「それじゃ、もし私がフリントにいたら、今飲んでいる水に鉛が含まれていたってこと？」

　母はいいにくそうに、そうだと答えました。歯の間から息を吸いこみながら。

　私はパスタをガツガツかきこみ、部屋に向かいました。お風

呂と歯みがきを終えてパジャマに手早く着替え、ベッドに入りましたが、ほとんど眠れませんでした。フリントで被害にあった人たちのことが頭からはなれなかったのです。きれいな水が飲めることは、基本的な権利であるはず。その権利は、だれもが無条件であたえられなくてはいけません。

　翌朝目覚めたときには、新たなモチベーションが芽生えていました。フリントの水道汚染について何かしたいという気持ちです。その思いは長いこと頭にこびりつくことになりました。でも、どうすれば助けられるのかはわからずじまいでした。

　当時はまだ、思いもしませんでした。このフリントの水道汚染問題について考えたことで、人生が大きく変わることになるなんて。

　1年後、私はおもしろい技術やアイデアを求めて、MIT Tech Reviewのサイトを何時間も閲覧することからはじめました。科学捜査から宇宙までいろいろ学ぶ中で、目がくぎづけになったのが、カーボンナノチューブ技術と呼ばれる（当時は最先端の）新技術です。当時この技術は、食品の腐敗や空気中の有害ガスの検出に使われていました。強く興味をひかれて日誌に書きとめたものの、この技術を使って自分が何をするつもりなのかはあやふやでした。カーボンナノチューブはガスの検出には役立つけれど、水とどう関係があるというのでしょう？

　私はさらにテクノロジーについて学び続けました。Arduino（訳注・学生の電子工作向けに発案された安価なマイクロコンピュータ。128〜130ページ参照）や3Dプリンティング、電気、その他いろいろ。夕方になっても、いきづまったままでした。これらのアイデアを組み合わせた解決策が思いつかなかったのです。何よ

りもこの問題を解決したいのに。でも、どうやって？

　私はさらに1週間かけて本を読み、考え、目にするすべてのものについて思いをめぐらせました。それでも最後にもどってくるのは、カーボンナノチューブのアイデアでした。それは、有害ガスの検出にしか使えないのかもしれない。でも、本当にそう？　水の中でも効果を発揮するように変えることはできない？

　そこから次なるクエストがはじまったのです。水に溶ける、つまり粉末状にする簡単な方法を見つけること。水の中で使えて、水中の物質を検出できるようなものは、粉末状になっているはずです。さあ、ここからが本番！　さらに本を読んで、調査して、アイデアを練らなくちゃ。これは魔法のひらめきすべてがうまくいくようなおとぎ話ではないので……そこでまた、袋小路に入りこんでしまいました。

ひとくちアドバイス！

ここまでのいきづまりポイントにすべて気づきましたか？　これくらいは、イノベーションのプロセスでだれもが経験することです。どこに向かっているのかもわからない段階では、最終ゴールにたどりつくのは、とてつもなく困難に感じるものです。でも、粘り強く続けることが肝心です。このことについては、本書の後半でくわしく説明します。

　数か月をかけて、カーボンナノチューブセンサーによる検出

技術の全体構想を練りあげました。数か月というのは、最低でも1日3時間、週7日ずっと考え続けたということです。本当に大変な作業でした。アイデアなら、これまでも数えきれないほど思いついたことがあります。何かを実現するのは、アイデアを出すよりずっと大変なことです。

　最終段階に入り、それまでに学んだすごく魅力的な技術を、いくつか組み合わせてみることにしました。デバイス本体は3Dプリンターで造形し、内部処理システムにはArduinoを用い、習得したプログラミングで制御します。システム全体としては、抵抗と電流の重要性にもとづいています。もはやただの化学のプロジェクトではなくて、科学や技術のいくつもの分野を横断したSTEMプロジェクトとなったことに、私はワクワクしていました。

　なんてね……これはすべて私が夢見ていたもの。実際のデバイスは、後ろが空っぽで、いくつもワイヤーがとびだした、白いボール紙の箱にしか見えませんでした。あまりかっこよさそうではありませんね。いいアイデアだと確信していたものの、実現するにはどうとりくめばいいのか、まったくわからなかったのです。フィードバックやアドバイスがほしいのに、どうすればもらえるのかも、だれにきけばいいのかも、プロセスのどの時点でもらえばいいのかも、よくわかっていませんでした。

　そんな折、4Hクラブ（訳注・小中学生から参加できる農業教育組織）のSTEMの先生が、クラブのみんなにあるコンテストへの参加をもちかけました。ディスカバリーエデュケーション社と3M社が主催する、ヤングサイエンティストチャレンジ（Discovery Education 3M Young Scientist Challenge）です。私は鉛検

出のアイデアで、コンテストに応募することにしました。アイデアをより具体的なものにするにはどうすればいいのか、フィードバックを得たかったのです。1年前に別のアイデアでこのコンテストに応募し、州の優秀賞に選ばれていました。でも、今回のアイデアには自信をもてませんでした。なんといっても、提出したのは締め切り日の数日前でしたから。

　ほとんどの出場者はサイエンスフェアでの受賞経験があり、テストやその結果、研究論文などの詳細が書かれた巨大なポスターボードをもっていました。一方で私が提出したものといえば、夢見てはいるけれどまだ紙の上では大した形になっていない、壮大な可能性だけを秘めたアイデアひとつです。

　あとはただ待つのみ。とはいえ、頭はすでに切り替えていました。正直にいうと、入賞の見込みはまったくなさそうなので、忘れかけていたのです。私は水質汚染物質やプログラミング、3Dデザインについてさらに学びつつも、宇宙飛行士が歯みがき粉を飲みこまなくてもよくなる道具という、別の課題の解決にとりくみはじめていました。

　2017年5月のある日、ヤングサイエンティストチャレンジから電話がかかってきました。

「あなたはファイナリスト10人のひとりです！」

　そしらぬ顔で電話を受けた私は、それをきいて興奮、どころではなくなりました。ものすごくワクワクしました。そのときのワクワクは、言葉ではいい表せないほどです！

　何より最高だったのは、夏の3か月間、3M社の科学者であるシェーファー博士と一緒に研究する機会を得たことでした。でもここに、家族そろってテネシー州ナッシュビルからコロラ

ド州ローンツリーに引っ越す予定が重なって、やることがあふれそうになってしまいました。決勝戦に向けてしっかり準備できるか、不安でたまりませんでした。家を売りに出したので、その年の夏はほとんどの時間を図書館か車の中ですごしていたのです。自宅でゆったりすごせたのは、毎日2時間程度。その時間に、シェーファー博士との電話の予定を入れました。引っ越してからは、あちこちのホテルに滞在しながら作業を続けました。スーツケースに入る最小限のものだけで生活しなくともよい、自宅という快適な場所を恋しく思ったものです。

　新居への引っ越しが完了するころには、新しい学校がはじまる時期がせまっていました。実のところ、引っ越しの混乱のおかげでかえってモチベーションは高まり、ひまさえあれば水道危機の現実的な解決策にとりくみ続けていました。新居に入る前にただ座って待っていたときも、フリントの被害者への取材記事を読みあさっていたくらいです。おかげで、この問題の重大さについての全体像が得られ、水道水の鉛汚染問題がもっと多くの人に知られるべきだと考えるようになりました。

　多くの本を読み、この問題についてもっと知るために地元の水道事業体に連絡をとったことで、いよいよモチベーションが高まっていきました。私の仕様にもとづいたカーボンナノチューブのサンプルを入手するためにナノ材料メーカーに接触し、工場の見学まで求めました。アイデアへのフィードバックを求めて、化学の教授たちにそれはそれは数えきれないほどの電話をかけました。すべては鉛問題を解決したいという、たったひとつの動機のためです。自分が何をしているのか、頭の中はゴチャゴチャで、完全なるカオスでした。この問題について、

そしてその被害者について、多くを知ってしまったからです。

　シェーファー博士の助け舟によって頭をリフレッシュしたことで、目が覚めました。「解決策に集中しなくちゃ。私ならできる。きっとできる」。すると、実際できたのです……。3か月後、私はミネソタ州のセントポールに向かっていました。9人のスゴイ子どもたちと3日間、ヤングサイエンティストチャレンジの最終審査で競うために。舞いあがっていましたが、ワクワクでいっぱいでした。

　空港で、私は自分自身の成長ぶりにおどろいていました。アイデアを思いついてから3か月、ついに完璧な解決策を考案できたのです。でも思い返してみれば、解決策の考案自体はこれがはじめてではありません。小学2年生のころから、興味をひかれたことはすぐ調べ、どんどん積極的に発明したり、アイデアを見つけだしたりしていました。折りたたんで床に収納できる宇宙飛行士用の省スペースチェアや、花粉アレルギーを静電界によって予防する装置、水中レーザー通信で行方不明の飛行機を探す探知機、非接触サーモグラフィーによってヘビ咬傷の早期診断に役立つ装置……。

　このような装置を作ったり、問題を解決したりすることには以前から興味がありましたが、本来の関心はイノベーションにあったということには、そのときまで、まったく気づいていませんでした。アイデアを考えるのは、放課後の習いごとの前の自由時間にすることとしか思っていませんでしたし、特別視したことはありませんでした。決勝に向かう飛行機の搭乗アナウンスがきこえても、引き続き考えをめぐらせました。私はもう何年間もイノベーションをしてきたのです。そしてはじめて、

アイデアのひとつが具現化したのです。ずっと問題解決にとりくんできたことが習慣となり、アイデアのひとつが評価されたことが誇（ほこ）らしくなりました。これからの1週間が楽しみでしかたありませんでした。

　ついに現地にたどりついた私は、コンテストの一連のイベントに参加し、興味を同じくする人たちに会い、ようやくSkypeごしではないシェーファー博士にもお目にかかることができました。最後に審査団（しんさだん）や大勢の人たちの前で、自分のアイデアを発表しました。おじけづきはしましたが、人生で最高の経験のひとつです。年上の仲間から、たくさんのことを学びました。

　優勝者が発表される晩餐会（ばんさんかい）の日になりました。だれが優勝するにせよ、ただの思いつきだったものを結実させたことがうれしくてなりませんでした。コンテストの結果がどうであろうと、水質汚染（おせん）のイノベーションをさらに発展させたいという思いは変わりません。研究を通して、フリントの住民とのつながりを感じていたからです。

　自信がついた私は、メンターたちに指導を求められるようになっていました。私は当時、たったの11歳（さい）でしたが、自分の単純なアイデアを、著名な科学者や教授たちと議論してもよいのだということを学んでいました。その4か月前は、シェーファー博士にどう思われるのか不安で、ネットで会話をするのが怖（こわ）くてたまらなかったというのに。シェーファー博士の助けを借りて、手順にしたがうこと、期限を守ること、そして自分が作っているものに全力でとりくむという自律心（ディシプリン）を学びました。

　残念なことに、シェーファー博士は仕事の都合で晩餐会に参加することができませんでした。それでも、コンテストの結果

を待ちながら、私は自分の旅をふり返りました。座っているときに考えていたのはこんなことでした。

「私は次に何ができる？　フリントを訪問できるだろうか？　水質検査に関する連邦法に影響をあたえることはできる？　これを本当に製品化するには、だれとパートナーを組めばいい？」

両親とメンターは、大学教授でも習得に何年もかかるようなテーマを聴衆の前で発表した私を誇りに思ってくれました。ライバルたちのアイデアやプランはどれもすばらしく、最高のプレゼンテーションばかりでした。私は結果をきくことに、緊張よりも興奮を感じていました。

私たちはハラハラしながら、スピーチや講評の間もじっと座っていました。優勝の発表がはじまると、胸の鼓動は心臓からとびださんばかりになりました。おどろいたことに、アナウンスされたのは——私の名前でした。ギタンジャリ・ラオ。生まれてはじめての経験に、クラクラしました。ドキドキしながらたくさんの人波をかきわけて、ステージにあがるあの感覚は、最高のひとことです。間違いなく、私の人生を一変させた瞬間でした。

名前が呼ばれ、ステージに向かって歩いているとき、頭の中でひとつはっきりしたことがありました。ここでやめるわけにはいかないってことです。私がたどったプロセスはうまくいったのだし、革新的な解決策の開発にとりくんでいる人は他にもたくさんいるはず。出発点とひらめき以上に、イノベーションのためのプロセスを記述して、だれもが再現でき共有できるものにする方法が、何より必要だと感じていました。

私はまだ11歳でしたが、自分の経験を他の人に伝えなくて

はという責任を感じていました。ふたたびこのイノベーションのプロセスをたどるとしたら、どこからはじめて何をすればいいのか、何をしてはいけないのか、今度ははっきりとわかります。無駄な不安を断ちきり、自信をもって、イノベーションのプロセスにとりかかることができるでしょう。

　これで、私がしてきたことはだいたいお伝えしました。強調してもしすぎることがないのが、私の冒険をそばで支えてくれた両親の尽力です。

　私はもともとひっこみ思案な子どもでした。4歳くらいになると、母はそんな私をわざと苦手な場に連れだすようになりました。たとえば、自分よりずっと年上の子どもたちと顔を合わせなくてはいけない博物館のキャンプのような。サイエンスキャンプの入り口付近で私を降ろしたとき、母が「あなたを決して危ない目にあわせたりはしないから、ママを信じなさい」といってくれたことを覚えています。私は目に涙をうかべながら中に入りましたが、活動がはじまるとたちまちおもしろくなって、もっとやりたいと思うようになりました。

　やがてこれが日常になりました。母は次々と知らない人ばかりの場所に私をおしこみます。私は自分でも気づかないうちに、苦手意識を克服し、自分の可能性を広げていたのです。知識についても同じでした。母は私の同級生グループをひっぱって、全国的なSTEMコンテストに参加させました。最初に参加したのは小学2年生のときでしたが、そのときは基本的なアイデアをスケッチしただけでした。でもその次の年にはウェブサイトを制作し、また次の年には、自分たちがとりくみたい問題への解決策を動画にしました。年々、知らぬ間に新しいこと

を学び、スキルアップしていたのです。

　指導といえば、両親はコンセプトの立て方をおもしろおかしく私に教えてくれました。5、6歳のころ、両親からいつも「お題」を出されていたことを覚えています。3分でそのお題を解くアイデアを考えて、はっきりと手短かに発表するように求められました。たいていは母が私の相手で、父は審査員でした。父が「今までにないレストランを作る」というお題を即席で出せば、私たちはプレゼンし、コミュニケーション・創造性・技術・ユーザー体験を審査されるのです。

　私はこの3分でプレゼンを考えだすという遊びが大好きでした。スリル満点で、ずっとやっていたいくらいでした。結局いつも勝つのは私で、賞品は力いっぱいのハグに、手作りの賞状に、アイスクリーム屋さんへのおでかけ。ドライブ旅行でも、よくこの遊びをしたものです。弟が生まれてからも、ゲームは続きました。私は現役チャンピオンとして、ライバルを待ちこがれていました。でも、まさかタイトルをうばわれてしまうなんて。今では弟がチャンピオンで、母と私はいまだにライバル、父はずっと審査員です。当時はただの遊びだと思っていましたが、問題を解決し、イノベーションし、解決策を構築することが、いつのまにか私の習慣になっていました。

　私は図が大好きで、視覚的にものごとをとらえて学ぶタイプだったので、両親はいつも数学の概念を図解で説明してくれました。科学の概念については、さまざまな岩を実際にさわらせて岩石の種類を覚えさせ、赤いゼリーをチューブに入れて腸の機能を教えてくれました。助動詞は全部、「フレール・ジャック」（訳注・フランスの民謡。日本では「グーチョキパーでなにつくろう」の

邦題で知られる)のメロディに合わせた歌で、自然に覚えました。

　弟は神話が大好きなので、私たちは弟のお気にいりのインド
の神様ガネーシャを使って小数を教えています。ガネーシャを
小数点に見立て、10倍したら右に動かし、1万で割ったら左に
動かすのです。弟が4歳のときには、エジプトの象形文字を見
せて足し算の基本を教えました。計算の順序の決まりは、エジ
プトの社会階級にたとえて覚えてもらいました。

　両親は私たちに大きな夢をもたせてくれました。そのおかげ
で、この本を書いている今の自分があるのだと思います。両親
は仕事で使うツール類を何でも使わせてくれたので、両親の仕
事ぶりを肌で感じとることができました。またチームワーク、
実行可能性分析、ビジネスモデルの構築といった局面で、大人
がどう仕事を進めるのかをつかめたように思います。おかげ

で、私はそれらを自分のものにし、イノベーションのプロセスに向けて自力で挑戦をはじめられるようになりました。本書で紹介する発想ツールの多くは、組織でプロが使うようなツールを流用しています。

　これが私の来歴です。認められ、取材されるようになったことがこの本の執筆につながり、将来の可能性を拓いてくれました。本書に記したプロセスは、私が考案したあらゆるもの、そして参加した全コンテストで用いてきたものです。

　その他、鎮痛薬オピオイド依存症を診断するデバイス「エピオーネ」や、ネットいじめを検知して予防するサービス「カインドリー」の開発をはじめました。新たな旅のはじまりです。開発する過程で、もっと見たい、もっと挑戦したい、もっと成長したいという気持ちが高まっています。

　自分の話をお伝えしましたが、私はみなさんひとりひとりに自分自身の物語を書いてほしいと思っています。私がみなさんに伝えたいのは、イノベーションとは何かということです。イノベーションに夢中になるべき理由、とりくみ方、受賞する方法、自分のしてきたことを人に伝える方法。そして何より、私たちをとりまく問題への世間の意識を高め、意思決定に影響をあたえる方法を伝授したいと思います。私たちひとりひとりが、まだ見ぬ未来に備えて、自分の物語の設計図を描くことができるのです。

さて次は？

　ここまで、本書の構成と、私が自分の学びを人に伝えたいと思うに至るまでの歩みをお話してきました。次章からイノベーションのプロセスに入り、ひとつひとつ順を追って説明します。前述のとおり、実用的かつ理解しやすいように、このプロセスをすべてに共通する大きなカテゴリーに整理しました。「発見」「解決」「実践」の3つのセクションです。

　最初の「発見」は、イノベーション、特に科学的イノベーションの背景や、私たちの生活を実際に変えることにつながっていく、その役割をほりさげるセクションです。2章にわたって、イノベーションの役割と必要性を明らかにし、多くの人を苦しめている問題を解決することの重要性を浮き彫りにします。イノベーションのためのイノベーションでもかまいませんが、このセクションでは世界が日々直面している問題を軽減するという高い志をもつべき理由を示すつもりです。第2章の最後で、私がイノベーションで使っている5段階のプロセスも紹介したいと思います。

　それでは、さっそく本題に入りましょう。

発見

「真の実験室は人間の心の中にある。そこにおいてこそ、
幻想(げんそう)の背後にかくれた真理の法則があらわになる」

ジャガディッシュ・チャンドラ・ボース

**このセクションでは、イノベーションとは何か、
イノベーションにとりくむときに
ワクワクする理由を説明します。
イノベーションの背後にある歴史を学び、
第一歩をふみだしましょう。**

第 1 章

科学でコミュニティに
変化をおこす

「Ikigai」。私は「自分の未来は自分で創れる」といった気のきいた格言や、人生の目的を決めつけるような外来語風の言葉があまり好きではありませんでした。でも、言葉ではいい表しがたい多くの理由で、「生きがい」という言葉はすんなりと私の中に入ってきました。「生きがい」とは、「生きていく動機」を意味する日本語です。私はいろいろな国の思想から文化的な影響を受けるのが好きなので、この言葉の意味するところをもっと知りたいと思いました。この言葉の理解を深めるため、自分の「生きがい」の発見を目標にすることにしたのです。自分の好きなこと、やりたいこと、情熱の対象、自分が生きていく動機。

自分の「生きがい」を発見するのは、一筋縄ではいきません。私はノートとペンをもって机に向かい、好きなことを書きとめました。自転車に乗ること、本を読むこと、友だちとぶら

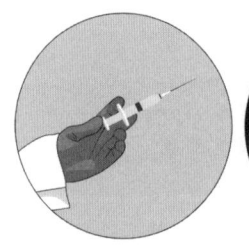

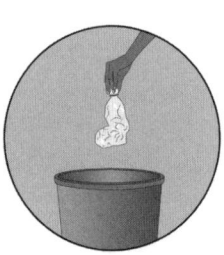

ぶらすること、パンを焼くこと。リストをながめても、今ひとつピンときません。読書もパン作りも、自分が何者であるかを本当の意味で説明するものではありませんし、私の特性をあまりとらえていません。自分を本にたとえるなら、それらは表紙のようなものです。何をするか、どのように生きるか、自分が望んでいることを説明する本文とはいえません。雨ふりの火曜日をノートに向かってすごすくらいでは、生きがいは見つかりそうにありません。これは長い道のりになりそうだなと思いました。

さて、なぜ私はこんな話をしているのでしょう？　お伝えしたかったのは、あなたも自分を作りあげるものとは何かを知らなければならないということです。他のだれでもないあなたらしさを形作るもの。あなた自身が生きる理由。私は自分が何者であるかを知るために3年の歳月を費やしたあと、自分の「生きがい」を見つけました。私は単にイノベーターというだけではありません。私はアイデアを発展させ、科学を社会変革の触媒として利用し、自分の知識を世界に広めています。アウトリーチ活動を通じて、イノベーションに若者が参加する重要性を訴えることへの情熱が、私の「生きがい」です。

この話を続ける前に、イノベーションについて話しましょう。なぜイノベーションを起こしたり、問題解決にとりくんだりしなければならないのか？　これらが重要である理由は、実行しないとしても最低限理解しておく必要があります。私たちは、50年前には存在しなかった問題に支配された世界で育っています。地球温暖化、気候変動、思春期のうつ病、天然資源の汚染、野放しの人口増加、パンデミック、ネットセキュリ

ティ、長距離宇宙旅行、ネットいじめ。これらはほんの一例にすぎませんが、私たちの生活の一部であり、それぞれが固有の問題を抱えています。

　私は、新型コロナウイルスのパンデミックのさなかにこの本を書いています。世界でパンデミックがおこるのが、これで最後だとは思えません。学校にいくこと、友だちと遊ぶこと、買い物をすることなど、あたり前と思っていたことがガラリと変わってしまいました。私の頭の中には、ずっと疑問がうずまいています。ワクチンをもっと早く生産する方法はないのだろうか？　接触確認や隔離よりよい方法はないのだろうか？　ウイルスを迅速に死滅させる、安くて良質なナノフィルターやマイクロビーズはあるのだろうか？

　こうした問題に対処することは、私たちの世代の責任です。すべてを解決することはできないかもしれません。でも、何が問題であるか、どうすれば救えるか、どうすれば意識を高めて行動に結びつけられるかを明らかにする私たちの責任は、少なくとも理解しておいたほうがよいでしょう。

　幸いなことに、課題には事欠きません。たとえば、私が水中の鉛を検出するデバイス「テティス」について考えはじめたころは、ほとんどの州で飲料水に含まれる鉛を検査するための連邦法はありませんでした。しかし水道汚染問題について理解し、それを話すことで変化はおきます。実際そのとおりになりました。テティスが報道されたあと、インド、ブラジル、その他の国の大学や個人が環境試験のためのナノ材料の研究に投資しました。今では、同じテーマの研究論文をいくつも目にするようになっています。私が直接影響をあたえたかどうかはと

もかくとして、彼らはみな、正しい方向に向かって歩みを進めています。

　この話からわかるのは、私たちはとにかく行動をおこすことによって、議員、大学、組織、政策決定者たちに、たしかに影響をあたえることができるということです。はじめは、「こんな複雑でややこしい問題、ひとりで解決するなんて無理」と思うかもしれません。でも、問題を解決するのに博士号をもっている必要も、特別優秀な学生である必要もないことは、私が保証します。

「生きがい」の話にもどりましょう。あなたが「生きがい」を見つけることができたなら、必要なのはあなたの決意と情熱だけです。あせらず、時間をかけて、どんな自分になりたいかを把握してください。あなたの「生きがい」は、イノベーションの過程で実践することができ、それはさらなるイノベーションにつながります。

　私がこの考えを紹介したとき、ある女の子が、自分の「生きがい」はクリエイティブであること、そして自分のアートを人に伝えることだと教えてくれました。

　アートでも問題を解決できることをご存じでしたか？　たとえば紙を折って作る日本のアート「折り紙」は、火星に着陸したときに展開するコンパクトなソーラーパネルの設計に応用するため、NASAでも積極的に研究が進められています。

　他にもアートを使ったこんな解決方法があります。

問　題　地域社会や学校にリサイクルボックスがあるにもかかわらず、リサイクルが行われていない。

解決 あなたの絵でポスターを制作する。もしくは芸術的才能を駆使してスーパーヒーローを作る。リサイクルへの認識をもってもらうためにそれを生徒や先生たちに伝えたり、校長先生に依頼して毎月告知したりしてもらう。

また別の男の子は、自分の「生きがい」はまだ具体的には決まっていないが、スポーツやサッカーの経験を活かして人を助ける道を見つけることだと思うと語っていました。さて、サッカーで人を助けるにはどうすればいいのでしょうか？

問題 学校でチームメンバーと一緒にプロジェクトにとりくんでいるが、おたがいにまったくかみ合っていないし、信頼関係がないようだ。

解決 サッカー場に出て、練習試合をしてみよう。1時間ほどプレーして、たがいに信頼を築き、ものごとにとりくむときのそれぞれの姿勢を知ろう。

科学やテクノロジーは有効な手段ですが、個人的には「思いやり」を学ぶことも、同じくらい重視されるべきだと感じています。人の立場に立ってものを考え、その気持ちを思いやることは、問題の理解を深めるのに役立ちますし、他者を助けようとするモチベーションを高めることにもなります。たとえば応用構造工学を学ぶつもりなら、自然災害による構造的な問題を抱えている地域について知り、どのように支援できるかを理解する必要があるでしょう。科学であれ、地理学であれ、

物理であれ、イノベーションは、健康や経済を改善するために社会状況の変化や文化、流通をどのように活かすかというところからはじめるべきです。私たちが科学を学ぶのであれば、科学の概念をどのように応用すれば問題を解決できるかということを考えなければなりません。

ここまでいくつかの例を示しましたが、この本が目指しているのは、科学技術を利用して社会を変えることです。私たち学生はスポンジのようなもので、自分自身がおもしろいと感じ、楽しんで学んだことは、どんどん吸収していくことができます。授業やテスト、あるいは「A＋」の評価を得たいという目的だけで、すべてが学べるわけではありません。私たちには、失敗しても許され、実際に問題解決を体験しながら学ぶことができる教育が必要です。だから一緒に挑戦して、ムーブメントをおこしましょう。だれも私たちを止めることはできません。

つい先日、私はグローバル電力サミットに参加しました。グローバル電力サミットとは、持続可能な暮らしに向けて、科学の力や若者の創意工夫を活かすことを目指したイベントです。気候変動対策の運動をはじめたグレタ・トゥーンベリさんは、すべての人に「科学に耳を傾けて」と訴えました。「科学に耳を傾ける」とはどういう意味でしょう？　それは、問題の理解を深めるために、事実や数字を把握することです。問題を解決するための方法を模索し、人々の関心を高めることでもあります。国連のSDGs（持続可能な開発目標）を見れば、人類は長い道のりを歩んできたけれど、未来を維持するための道のりはなおも長く続くということがわかるでしょう。

若者に何ができるかを世界に示すために、私たちは結集しな

ければなりません。私たちは変革者となる必要があります。変化をおこしましょう。私たちはその変化が未来を形作り、世界中の若きイノベーターたちに波及効果をもたらすのを見届ける必要があります。自分の「生きがい」や情熱の対象を見つけ、変革者となり、世界を救いましょう。

　年齢、性別、人種その他に関係なく、だれでもイノベーターになれるし、だれでもアイデアを生みだすことができます。問題解決をはじめるのに、高額な機器も、都市部に住むことも、最高の研究室も必要ありません。必要なのは、実現するという意思と献身だけです。私の経験からいって、リソースが限られている場合、より大きな問題の一部分にまずは目を向けるほうがとりくみやすく、実行範囲も管理しやすくなることが多いです。

STEMと女の子

　ここで少し、STEM分野に女の子がとびこむことについて、個人的な体験をお話したいと思います。数年前、私はとてもワクワクしながら、STEM研究室のプログラムに参加しました。新しい友だちに出会い、新しいテーマを学びたかったのです。けれどもふたを開けてみれば、7人の男の子と私というメンバーで、すでにできあがっているクラブの中にまぎれこんだみたいでした。無意識のうちに、私はここではういてしまうかもしれないと思いこんでしまいました。でもレッスンが終わって、これは自分の大好きなことだと気づいたら、だれと一緒だろうが関係なくなりました。

　小学3年生のときにプログラミングキャンプに参加したとき

も、同じことがおきました。サマーキャンプの1週間を通して、女の子は私だけだったのです。最終課題はゲームを作ることでした。チームメイトと一緒にゲームを作りはじめましたが、最初は男の子のキャラクターしかいませんでした。女の子のキャラクターを入れてほしいと頼んだら、チームメイトたちから申し訳なさそうに、「忘れてたよ」といわれました。彼らはわざとそうしたわけではありません。自分たちと同じような見た目じゃないのに同じような行動をする人間なんて、いないと思っていただけなんです。

　男の子にかこまれていたことで、影響を受けた？　ええ、最初はそうでしたけど、最後はそうでもありませんでした。

　なじめないと感じた？　他の人がどう思っているかは気にしていませんでしたし、違いを感じることもありませんでした。

　勉強したテーマやゲーム作り、実験は楽しかった？　はい、もちろんです。

　私は、STEM分野に参加する女の子としてのメッセージと、その重要性を伝えたいと思います。私が社会の中で変えたいことがひとつあるとすれば、それは女の子がSTEMを安心して追究できる空間を提供することです。

　研究によれば、女子は必ずしも男子と同じ動機でSTEMに興味をもつわけではないということがわかっています。男の子も女の子も、自分がやっていることの目的や意義を理解したいという点では変わりません。しかし女の子はロボットや機械を動かすことよりも、研究にアートやクリエイティビティを活かしたいと思うことが多いようです。

　友人の女の子何人かにインタビューしたところ、男の子の友

人に比べ、彼女たちはアートや音楽、社会奉仕活動などをとり
いれ、クリエイティブな形でSTEMにとりくむのが好きだと
いうことがわかりました。

　彼女たちの話をきいて、私は母に、弟と私で問題解決へのと
りくみ方に違いがあるかどうかたずねてみました。母も非常に
似通った考えをもっていました。弟は問題をものの数分で把握
したら、さっさと解決策を生みだし、それが問題を解決したか
どうかを起点にして作業を進めていきます。一方、私はもっと
時間をかけて問題にとりくみ、問題の特徴を描きだし、フィー
ドバックを求めてから解決策を考えていました。どちらのアプ
ローチが悪いということはありません。共同でとりくめば、最
高の結果をもたらすでしょう。

　なぜ女の子は男の子に比べ、STEMのキャリアから遠ざかる
傾向にあるのか。理由はたくさんあります。しかし女の子なの
か大人の女性なのかによっても違うので、その理由を5つにし
ぼってみました。

1. **孤立**：私のようなタイプの女の子の多くはプログラミング
   キャンプに参加した経験がありますが、女の子はひとりかふ
   たりしかいないことがあります。ここ数年で改善されてきた
   とはいえ、まだこの状況はよく見られます。プログラミング
   をしようとしない友人がいますが、プログラミングは女の子
   向きじゃないと思いこんでいるから、という以外に思いあた
   る理由はありません。

2. **奨励されない**：小学校時代、女の子は着せ替え人形の「ア

メリカンガール」のクラブに入るようにすすめられ、チラシをもらったことを覚えています。私はそんな人形があることすら知りませんでした。プログラミングクラブやSTEMクラブでも同じように女の子に向けてチラシが配られていたら、何人かは入ったことでしょう。

3. **メディアでの描写**：これまで見せられたサイエンスのビデオでは、たいてい科学者が男の子や男性として描かれています。地元の図書館で行われたサイエンスショーでも、いつも男性が科学の概念を説明していました。私自身はある程度の評価を得るまで、サイエンス系のメディアに出演したり、人前で科学について説明する機会はまったくありませんでした。こうした状況を変えるチャンスはあると信じています。

4. **責任**：STEM分野の専門職女性は、家事や子育てといった家庭での責任が重く、仕事に支障をきたす可能性があると考えられているために、大きな責任のある仕事を任せてもらえません。近年状況は変わってきていますが、一部では根強く残り続けています。とにかく、雇用主はすべての従業員に平等な機会をあたえ、職務遂行能力と才能のみにもとづいて責任を決定する必要があります。

5. **賃金格差**：6年生のとき、地元のYouth in Government（若者のための模擬国会）に参加して、男女の賃金格差についての議案を作成しました。男性が1ドル得られる仕事で女性は80セントしか得られないという賃金格差を終わらせる必要性に

ついて訴えたのです。はじめてこのことをきいたときはゾッとし、母からその背景にある理由を説明してもらって、とても不公平だと思いました。賃金格差はSTEM分野を含む多くの業界で、今なお続いています。雇用者は、前職の給与をたずねてはいけないという法律を遵守し、従業員間で給与について話し合うことをさまたげず、交渉の余地のない平等な給与体系を提供する必要があります。

　STEM分野で働く女性がふえれば、イノベーションはますます活性化し、創造性は最大限にのびるでしょう。科学者やエンジニアは、現代におけるきわめて困難な問題の数々を解決するために働いています。女性の中にも、科学に多大な貢献をはたしたパイオニアがいます。ふたつの元素を発見したマリー・キュリーや、「CRISPR」を用いた遺伝子編集技術（訳注・侵入物のDNAを切断する微生物の適応免疫システムを利用して、遺伝子のねらった部分だけを編集する技術）を発明したエマニュエル・シャルパンティエとジェニファー・ダウドナといった女性の努力によって、科学は大きな飛躍をとげてきました。女性がSTEMに関わらなければ、女性特有のニーズや経験が見すごされてしまうかもしれません。解決策にも、女性の声が反映されなくなってしまうでしょう。将来、私たち全員が男女の別なく同じようにあつかわれるようにすることは、私たちの世代の責務です。
　私たち女子自身がSTEMにもっと積極的に関わったほうがいいのはもちろん、大人や男子たちには、私たちの味方となり、女子のスキルを尊重するという責務があります。女の子が

安心してSTEMスキルに挑戦できる場を提供している組織の
ことは、とてもありがたく思っています。一方で、女の子が
STEM分野に個人的な関心をよせ、イニシアチブをとることも
同じくらい重要です。現在および未来の問題は、私たちみんな
で解決する必要があるのです。

第 2 章

イノベーションとは
何か?

　私たちは真の意味でイノベーションを理解しているでしょうか?　きっと読者のみなさんも、ニュースや企業広告でイノベーションという言葉を耳にしたことがあるでしょう。知っているつもりでも、実のところ「待って、本当に私わかってる?」とうすうす感じている言葉のひとつです。イノベーションとは、問題を解決するために、既存のプロセスやツールをまとめて改善したり、強化したりするプロセスのことです。そのプロセスは「統率のとれたカオス」そのものですが、カオスの中から生みだされたものがイノベーションとなります。

　似ているように思われる科学的方法についてお話ししましょう。科学的方法は基本的に、疑問を見つけ、仮説を立て、その仮説を検証し、データをまとめ、結論を出し、それをくり返していくというプロセスを経るものです。科学的方法を学校で習ったときには、とてもかっこいいと思いました。実験をしたり結論を出したりすると、スッキリします。でも、私はそれ以上のことを望んでいました。その結論を何に使うかを知りたかったのです。科学のプロセスは、疑問に答えを出すものです。一方、イノベーションのプロセスは、その答えを使って自分や世界を助け、だれかを笑顔にすることさえできます。知らず知らずのうちに、あなたはこの双方を毎日使っているはずです。ピザを電子レンジで温めるかオーブンで温めるかを考える

ときも、画期的な技術を生みだすときも、あなたは生活を革新するアイデアについて考え、疑問に答え、それを実践しているのです。

　あなたが私のようなタイプの人なら、定義をはっきり書きとめておきたいと思っているかもしれません。イノベーションとは何か、定義するならこうです。

　「問題を解決するために、新しい何かを、作りあげたりさらによくしたり学習したりするプロセス」。

　あとは、何を作りあげたいか、何を学習したいかを決めればいいのです。しかし、この定義にはキーワードがあります。それはプロセスです。1にプロセス、2にプロセス。本書に書いてあることは、つまるところプロセスにつきます。これから一緒にイノベーションのプロセスをとりくんでいくことで、あなたが望むどんな高みへでものぼっていけるようになります。その後、コンテストに出ていい結果を残し、フィードバック、助成金、奨学金を得る方法について説明しましょう。

　一緒にプロセスをたどっていく中で、既存のプロジェクト管理ツールや専門的な発想ツールに出くわすかもしれません。私はこれらを10代が理解し、活用できるように応用してとりいれることにしました。フィッシュボーン・チャート、KJ法、マトリクス法などがその一例です。これらはビジネスの現場で日常的に使われているものですが、イノベーションのプロセスで使ってみて、私たちだってこれを使わない手はない！と感じました。なぜこのような概念が学校で必修ではないのか、まったく理解できません。ともあれ、私がまずやってみることにしたのです。

ここで別の方面から発想してみましょう。まず、発明（インベンション）をするのか、イノベーションをするのかを決めてください。すべてはこれにより変わります。発明とイノベーションは、このような違いがあります。

　発明…ゼロからアイデアを固め、そのアイデアをもとに下から上まで作りあげること。または新しいプロセスをはじめて導入すること。

　イノベーション…もっと多くの問題を解決できるように、既存の技術をベースとして用いてその上に組み立てていくこと。現在使われている解決策を改善すること。

　私はイノベーションなら早く効率的に成果をあげられること、創造性を発揮できる余地がたくさんあることに気づきました。一方、発明はオリジナルのアイデアがあればすばらしいのですが、つまずきやすいということがあります。どちらを選ぶかは自分次第ですが、私は背景となる知識を活用して、かつ基礎から積みあげていくことにもっと力を入れていきたいと思っています。何かを発明するのが難しいなら何かをイノベーションすればいいというのは、10代のイノベーターが犯しがちな思い違いです。でも、自分が何をしているのか、なぜそうしているのかを知ることで、イノベーションをゆっくりと発明に変えることもできるのです。
　これがうまくいくためには、以下のようないくつかのルールが必要です。

・これから紹介するプロセスはあくまでもガイドです。本書を最後まで読み終わる前に、オリジナルのものにするため、本書のプロセスにひとつ変更を加えてください。
・最初からうまくアイデアを思いつかなくてはと、プレッシャーに感じないでください。産みおとされたばかりの鶏の卵だって、ヒナが出てくるまでには時間がかかりますよね。アイデアも、出てくるまでに永遠と思えるほどの時間がかかることがあります。大切なのは、辛抱強く待つことです。約束しましょう、アイデアはいつかは生まれてきます。厳しい締め切りをもうける必要はありませんが、大切なのは、どこに行っても何をしているときでも、そのことについて考え続けることです。
・本書の内容がわかりづらい、活用しにくいと感じたら、自分なりの発想ツールを考案してください。それもまた、イノベーションの使いどころです！

では、イノベーションのプロセスをくわしく見ていきましょう。わかりやすくするために、語呂合わせを使います。

Old Bananas Regularly Belong in Cake
（古くなったバナナはいつもケーキに入れる）

私はこの語呂合わせでプロセスを覚えています。さて、それぞれの単語の頭文字をとってみると……このとおり！　プロセスの5つのステップの説明になります。

　各ステップはそれぞれが違った意味で重要です。ひとつずつ、順を追ってくわしく説明しましょう。

5つのステップをながめると、「観察する」が、いきなりとても広い範囲を示す言葉のように感じますね。そのとおり。ステップ1の「観察する」は、解決したい問題や、答えを探したい疑問を見つける手段です。個人的には、イノベーションのプロセスにおいて、これが一番難しいステップだと感じます。でも、散歩をしたり、ニュースを見たり、雑誌の記事を読んだり、ただ何かをじっとよく見たりするだけでも、今まで考えもしなかったアイデアがわいてきたり、アイデアをしぼりこむのに役立ったりするかもしれません。

　次はステップ2「ブレインストーミング」です。このプロセスを最初にはじめたとき、ブレインストーミングは最終的なアイデアを考えだすためのステップだと思っていました。それはとんでもない間違いでした。ブレインストーミングでは、思いついたことすべてを手早くノートにメモし、それらを分類するだけでいいのです。このステップにおいては、悪いアイデアは存在しません。

　続くステップ3は「調査する」です。調査という言葉には、手ごわいイメージがあります。ものすごい数のウェブページをスクロールして、図書館に何日もこもって、たくさんの雑誌を収集して……。単調に思われるかもしれませんが、一度ハマってしまえば、意外に楽しいものです。調査をやる意味は、クールなアイデアを見つけだすことにあります。本書の後半では、調査を正しく適切に進めるやり方についても紹介します。調査とは、ブレインストーミングで書きだしたリストを、マトリックス法などのさまざまな発想ツールを使って、見込みのあるアイデアにしぼりこむための作業です。

ステップ4「制作する」！ 個人的には大好きなステップです。作ることそのものについては第6章でくわしく説明しますが、私が「制作する」を大好きなステップだと思うのは、自分のプロジェクトやアイデアに目に見える形をあたえることができるからです。たとえば、私が鉛検出デバイス「テティス」を制作するとき、最初にしたのはプロトタイプ（試作品）を作ることでした。それは世界一美しいとはいいがたい代物でしたが、しっかり役目をはたしてくれました。ボール紙で作られた模型でも、自分がデバイスをどのように見せたいのかがわかったのです。最初のプロトタイプが望みどおりの見た目にならなくても、がっかりしないでください。試行錯誤を根気強く続ければ、絶対に当初の想定以上にかっこよく見えるものになりますから。

　いよいよ最後のステップ5「伝える」です。私はこのステップをとても楽しんでいます。たった今も、この本を通して自分の考えをみなさんに伝えています。人に伝えることは注意を要しますし、ときには怖いこともあります。それでもすばらしいアイデアを考案したら、それを世界に示す必要があるということに向き合わなくてはいけません。伝えるという行為には、本、スピーチ、実演、アート作品、動画、あるいは創作ダンスなど、非常にたくさんの形があります。可能性は無限大です。

さて次は？

　このセクションで、イノベーションをする動機と必要性についての理解が深まったことを願っています。第2章では、イノ

ベーションのプロセスについても軽くふれました。次のセクション「解決」で、6章にわたってプロセスの各ステップをより深くほりさげていきます。5つのステップごとに1章ずつもうけ、失敗を通して学ぶことの重要性についての章を追加しました。成功する自信があるのはすてきなことですが、成功を思い描きすぎて、イノベーションにつきものの失敗への準備ができていないこともあります。そこで自分が失敗から得た教訓を伝え、失敗から学ぶ方法や、わずかな間違いですませる方法を共有したほうがいいと思ったのです。

　5つのステップでは、いろいろな例をあげながら模範的な進め方を示していきます。各ステップの章末にあるワークは、ステップの理解を深めるためのもので、自分のプロジェクトのために使うこともできます。ワークは自由に記入できますから、練習や自分のプロジェクトのために、このテンプレートを使用することを強くおすすめします。

　先生方や教育者のみなさんに向けて、終わりのセクションで授業計画を掲載しています。この授業計画は、イノベーションの各ステップで生徒と一緒に使えるものです。長年先生方は私のためにすばらしい教育をしてくださいました。この授業計画が先生方の教育に活かされることを願っています。

　さあ、イノベーションのプロセスにとびこんでみましょう！

解 決

「何ごとも成功するまでは
不可能に思えるものである」

ネルソン・マンデラ

このセクションでは、創造的に考える方法を
理解していただくため、私なりのイノベーションの
プロセスをみなさんと一緒にたどっていきます。
たくさんのアイデアを思いついてください。
そしてアイデアをしぼりこみ、考えもしなかったような
発想でアイデアを進化させてください！

第 3 章

ステップ1 ──
観察する

　幼稚園児のグループに、「何が好き？」というざっくりとした質問をしました。返ってきたのは、車、植物、動物という答え。私はお気にいりのものを見つけ、1週間観察するように呼びかけました。そのときに、まわりの人が直面しそうな問題を見つけたり、考えたりしたらすべて書きだすようにいいました。1週間後のみんなの答えは、おどろくべきものでした。ある男の子はいいます。「車は最高。色も形もいろいろあって、自動運転もできるんだよ。だけど、事故がおこることもある！」。別の女の子はいいました。「私は植物が好き。だけど花には花粉がいっぱいあって、パパは春になると花粉アレルギーになっちゃう」。グループ全体から、解決の可能性がある問題がたくさんとびだしました。

　何かをはじめる前に、あなたが好きなことを思い出してほしいのです。したいこと、見たいこと、遊びたいもの、なんでもかまいません。情熱を傾けられるものなら、イノベーションのプロセスを乗りきりやすくなるでしょう。ですから、少し時間をとって好きなことについて考え、頭にしまっておいてください。

　身のまわりの世界を見ることで、すごいアイデアにつながり、解決したい問題が明確になることがあります。この章では、問題の探し方、問題のしぼりこみ方、やりとげるべき問題を特定する方法の基本についてお話しします。

問題の探し方

　イノベーションのプロセスにおける最初のつまずきポイントはたいてい、解決したい問題を思いつくことです。私にとってはこれがプロセスの中で一番の難所でしたが、あるときから乗りこえる方法を学びました。観察のプロセスを説明し、みなさんのお役に立てればと心から思っています。このプロセスができるだけ簡単になるように、さまざまな発想ツールやメソッドを使っていく予定です。

　まずは、観察のポイントからはじめましょう。観察することによって、身のまわりの問題がうかびあがり、問題を意識でき

るようになります。

　重大な社会問題について知るには、以下のものを見るとよいでしょう。

- ・ニュース
- ・雑誌
- ・本
- ・ウェブサイト
- ・その他たくさん

　あらゆるものから、ひらめきは得られます。探しているものが何かわかっていなくても大丈夫です。私がここで力を入れて紹介したいのは、外に出てひらめきを得る方法です。あまり一般的ではないかもしれませんが、外に出ることは、私にとってアイデアを思いつき、問題を知るのにうってつけの方法です。

　一息ついて外に出て、散歩をしてみましょう。散歩に出たら、少し時間をとって今まで気づかなかったことを3つ、書きとめたり考えたりしてほしいのです。それは木に巣箱がすえつけられていることかもしれませんし、みずみずしい花が咲いていることかもしれません。あなたの気づいたことは何ですか？

　次に、気がかりに感じることを3つ見つけてください。難しく思えますが、そうやって出てくることこそ、あなたが興味をもっているもの、疑問に思っているもの、問題があると感じているものである可能性が高いのです。私の場合は、自宅まわりの歩道の舗装が一部ひび割れはじめていることが気になります！　あなたの気がかりなことは何ですか？

　最後に、近所でもっとくわしく調査したいと思うことをひと

つだけ書きだしてほしいと思います。これは、気がかりに思うこと3つのうちのひとつでもいいですし、別のことでもかまいません。これはあなたのイノベーションなので、自由に決めてください。

このような作業の目的はあくまでも、深くほりさげて調べたいという気持ちを高めることです。

疑問や問題意識を抱くというのはどういうことなのか、理解してもらえたのではないかと思います。テティスの制作も、散歩中に小さな小川を見て、水中にあるものをさらに調査したことからインスピレーションを得ました。それからフリントの水道汚染を知ったのです。鎮痛薬オピオイド依存症を診断する装置「エピオーネ」を作ろうと思ったのは、家族ドライブで高速道路を走っているときに、家族の友人が交通事故にあってオピオイドの依存症になってしまったことを思いだしたのがきっかけです。ネットいじめに使われる単語を検出するために作成した人工知能サービス「カインドリー」は、自分の学校を含め世界中の学校でネットいじめに直面している生徒たちがいるという状況からインスピレーションを得ました。もっとも、これはほんの一例にすぎません。ぜひこのプロセスを参考にして、自分が解決したい問題を考えてみてください。

ひとくちアドバイス！

さらに調べたいと思ったことをひとつ、記憶にとどめましたか。本書はこの先、そのアイデアにそってワークを進めていきます。心から興味を抱けるものを必ず用意しておいてください。

問題をしぼりこむ

　問題や疑問を分解することからはじめましょう。このステップでは、おおまかな疑問やアイデアを、細かいパーツに分解していきます。ここで用いるのは、フィッシュボーン・チャート（別名「石川ダイアグラム」）という一般的（いっぱんてき）な手法です。フィッシュボーン・チャートは、問題の根本原因を分析（ぶんせき）する際に広く用いられてきた思考ツールです。本書では問題の領域をしぼりこみ、現実的に解決策を開発できそうな問題を特定するツールとして応用します。フィッシュボーン・チャートを用いる目的は、問題の主な要因を、装置・プロセス・環境（かんきょう）・人間などに分類し、特定することです。要因を分類することで、対処したい問題をしぼりこみやすくなります。以下はフィッシュボーン・チャートのテンプレートです。

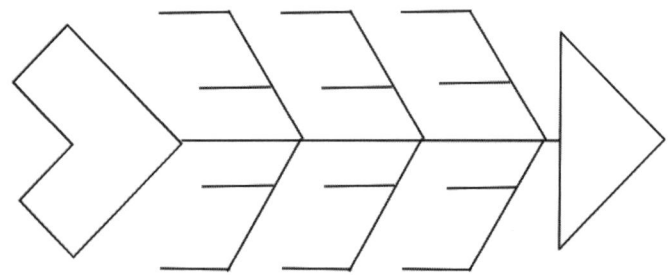

見てのとおり、魚の骨の構造にそっくりです。フィッシュボーン・チャートという名前は覚えやすいですね。魚の骨の各部位には、以下をあてはめていきます。

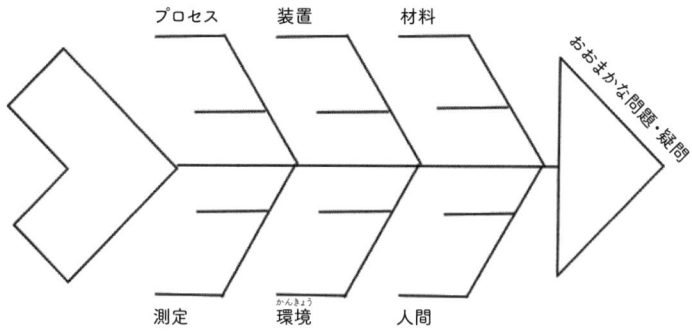

　実例として、私がテティスのために作成したフィッシュボーン・チャートを示します。これで、私は問題のどの部分を解決したいのかが見えてきました。

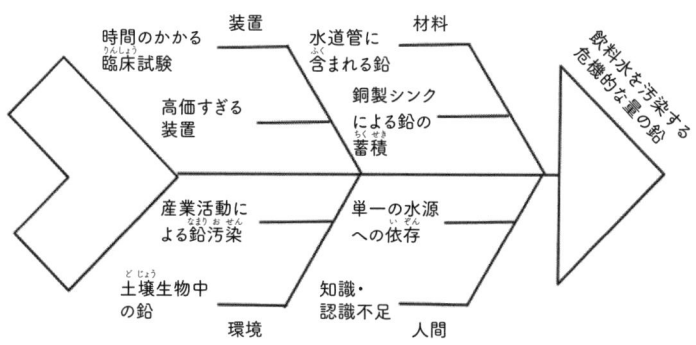

ここで留意すべきは、私の例は魚の骨の部分をすべて使ったわけではないということです。自分にとって意味のあるものだけを書きこみました。テンプレートより多くても少なくても、必要な数だけ使ってください。決めるのはあなたです。

あなたが作るフィッシュボーン・チャートは、このような見た目にはならないかもしれません。でも、それでいいのです。それぞれの骨に書きこむアイデアがひとつでもふたつでも、あるいは3つ以上になっても自由です。

このチャートを作成してからほどなくして、さらに深く見ていきたいのは飲料水の鉛汚染に対する知識・認識の不足だと気づきました。原因と思われる事象がこれだけたくさんある中で、どうやってしぼりこんだのか、次で説明していきます。

—— ジュリア・ゲルフォンド

ジュリアさんは4本の乳歯を抜歯したあと、歯茎に残った穴が痛みをもたらすこと、また穴があるために炎症をおこしたり、感染したりしやすくなることを知りました。この問題にとりくもうと決めたジュリアさんは、合併症を防ぐため、抜歯後の穴を埋めることができる画期的な溶解性ジェルを開発したのです。

問題を特定する

　問題の根本的な要因群を把握したら、ビジネス分野では4象限マトリクスという名で知られる有名な手法を用います。私はこれを4マス法と呼んでいます。これが唯一の方法というわけではないですが、意思決定プロセスを視覚的にわかりやすく表現するのに効果的です。

　4マス法は、アイデアを4つの異なるセクションにわけて、どのアイデアが"ちょうどいい"か割りだすものです。以下がそのモデルになります。

解決しようとしていることは……

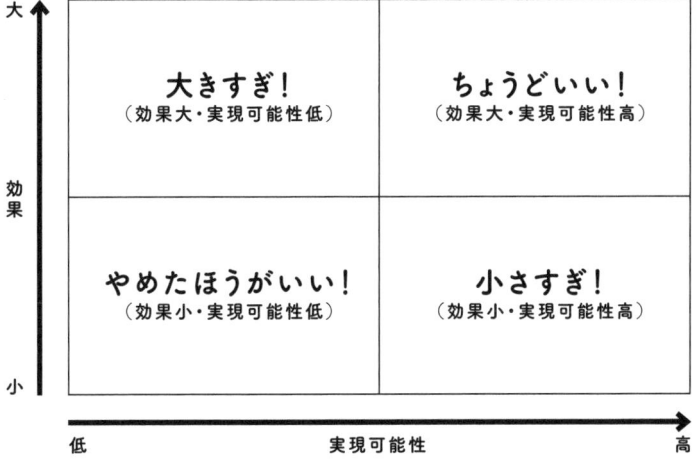

では、少し時間をとって、先ほどのフィッシュボーン・チャートで思いついた問題の要因を、この4マスに分類しましょう。この時点では、調査しようとしないでください。現時点での知識にもとづいて、それぞれがどこに属すのかを自分の勘<ruby>勘<rt>かん</rt></ruby>で分類します。あなたがもともともっている知識だからこそ、あなた自身がアイデアを現実のものにできるかどうかを判断するのに役立つのです。整理できたら、「ちょうどいい！」のボックスを見てください。それがあなたが追い求めたいアイデアです。この手法を採用する理由を簡単に説明しましょう。

　効果と実現可能性との間のバランスをとることが、この手法の主な目的です。影響<ruby>影響<rt>えいきょう</rt></ruby>の大きい問題を解決したいのはやまやまですが、その解決法が実際に実現可能かどうかも確認したいのです。「ちょうどいい！」ボックスの中から選択<ruby>選択<rt>せんたく</rt></ruby>するというのは、そういうことです。以下はテティスのための4マスです。

・高価な装置	
大きすぎ！ （効果大・実現可能性低）	**ちょうどいい！** （効果大・実現可能性高）
・子どもたちの健康問題 ・さらなる汚染<ruby>汚染<rt>おせん</rt></ruby>につながる煙<ruby>煙<rt>けむり</rt></ruby>	・飲料水の鉛汚染<ruby>鉛汚染<rt>なまり</rt></ruby>についての認識不足
・時間のかかる臨床試験<ruby>臨床試験<rt>りんしょう</rt></ruby>	・銅製シンクによる鉛の蓄積<ruby>蓄積<rt>ちくせき</rt></ruby>
やめたほうがいい！ （効果小・実現可能性低）	**小さすぎ！** （効果小・実現可能性高）
・水道管に含<ruby>含<rt>ふく</rt></ruby>まれる鉛	・土壌<ruby>土壌<rt>どじょう</rt></ruby>生物にも含まれる鉛

大 ／ 効果 ／ 小

低　　　　　　　　実現可能性　　　　　　　　高

小さいフォントで示したのは、先ほど私がフィッシュボーン・チャートを使って展開したアイデアなので、見覚えがあるかもしれません。それらを4マスを使って分類したのが、この図です！　こうして、私にとって「ちょうどいい」問題は、飲料水の鉛汚染についての認識不足だと気づいたのです。

ひとくちアドバイス！

「ちょうどいい！」ボックスの中に問題がいくつも入ってしまった場合は、さらに疑問を重ねて問題をしぼりこむか、アイデアを組み合わせる独自の方法を見つけて、複数の問題を解決できるおおがかりな解決策を開発してください。

　とはいえ、前述のとおり、4マス法は問題をしぼりこむ方法のひとつにすぎません。私はここからはじめたいと思いますが、どの問題にとりくむべきかを最終的に決めるためには、他にもいくつかの要素があることを知っておいてください。以下にあげるのは、対処すべき一番の問題を検討するうえで、4マス法での分析結果と同じくらい重要な基準です。

1. その問題は労力を費やすだけの価値はありますか？　大きな効果があり、実現可能性が高いとしても、人々は解決を望んでいますか？　解決策は活用されそうですか？　すでにだれかが解決にとりくんでいませんか？　あるいはだれかがすでに試してみた策ではありませんか？　また、真の意味でその問題を解決することはできますか？　それとも注目しているのは一時しのぎの策ですか？

人々は製品や解決策にお金を出す余裕がありますか？
その解決策は導入するのが困難で、問題を抱えたまま生活したほうがマシだったりしませんか？

2. その問題はタイムリーですか？ これは問題を解決したい時期を見定めることができる質問です。人々がまだ困っている問題のように見えますか？ すでに終わった問題だったり、まださほど大きな影響をおよぼしていない問題だったりしませんか？ 統計が正しくなかったり、古かったりすることもあります。影響力のある解決策に見えていても、現在では限られた用途にしか使われていないかもしれません。

3. その問題は、研究を深めるきっかけになりますか？ 私はこの質問を自分に問いかけずにはいられません。すぐれた問題は、解決された後でさえ、好奇心を刺激し、さらなる研究を行おうという気にさせてくれるものです。進化論のような偉大な問題や疑問のいくつかは、さまざまな人々の研究の積み重ねで作りだされたのです。

　これらのツールや考え方にとらわれすぎないようにしてください！ 観察のステップは理論上のものです。どの問題にとりくむのがあなたにとって最適なのかを、機械的に決めるべきではありません。ツールを使って正しい方向を示すことはできますが、すべての決め手となるのはあなた自身、あなたの目標、そしてあなたの使命だけです。

さて次は？

　このステップでは、問題を観察し、もっとも効果がありそうな問題要因をしぼりこみ、調査を進めるべき対象を選びだしました。次のステップでは、この問題を解決するかもしれないアイデアの集まり、つまり解決空間（solution space）を探っていきましょう。問題を深くほりさげて調査をさらに進めるやり方を学び、ツールを用いて解決策のアイデアを整理します。

氏 名 _____

クラス _____ 日 付 _____

ステップ1「**観察する**」の体験ワーク

先生の指示にしたがい、このワークを使って観察のプロセスを体験しましょう。各アクティビティ／図の番号にそって、順番に進めてください。

※ QRコードで https://www.kumonshuppan.com/wpr/pdf_parts/34231_01.pdf にアクセスすると、A4印刷可能なワークシートのPDFをダウンロードできます。

1.フィッシュボーン・チャート

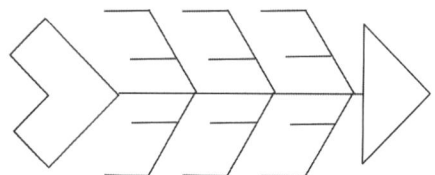

2.4マス法

解決しようとしていることは……

	低 ← 実現可能性 → 高
大 ↑ 効果 ↓ 小	**大きすぎ！**（効果大・実現可能性低） **ちょうどいい！**（効果大・実現可能性高） **やめたほうがいい！**（効果小・実現可能性低） **小さすぎ！**（効果小・実現可能性高）

3. 確認事項

その問題は労力を費やすだけの価値はありますか?

はい ・ いいえ

答えが「いいえ」の場合、どうすればやる価値を高めることができますか?

_____

その問題はタイムリーですか?

はい ・ いいえ

答えが「いいえ」の場合、どうすればその問題をタイムリーにすることができますか?

_____

その問題は、研究を深めるきっかけになりますか?

はい ・ いいえ

答えが「いいえ」の場合、どうすればその問題を研究を深めるきっかけにできますか?

_____

分析後、選択した問題は何ですか?
なぜその問題を選んだのですか?

```



```

第 4 章

ステップ2 ──
ブレインストーミング

　ブレインストーミング。よく使われる言葉ですが、必ずしも理解されているとは限りません。第2章で、私がイノベーションについて、「知っているつもりでも、実のところ『待って、本当に私わかってる？』とうすうす感じている言葉のひとつ」と書いたのを覚えていますか？　ブレインストーミングのプロセスについても、同じことがいえそうです。これから、ひとりブレインストーミングの考え方を実践していきましょう。

初 期 調 査

　まだ調査のステップではありませんが、ブレインストーミングのはじめに少しだけ初期調査をしておくと、とても役に立ちます。問題から解決策を直接考えようとしているなら、問題を多角的に理解する方法を見つけることが重要だと思います。次にあげる質問の答えを、ネットで簡単な記事を読んだり、知り合いに連絡したりして、探してみてください。

・解決しようとしている問題の被害者はだれですか？
・被害者は心身にどのような影響を受けていますか？
・問題の解決策があったとしたら、被害者はどのように感じるでしょうか？

・被害者の他に、間接的に影響を受けているのはだれですか？　政府、子ども、十代の若者、特定の社会階層、会社、学校など。
・その問題に関連する統計にはどのようなものがありますか？
・その問題はどのような来歴をたどっていますか？

　これはあくまでも質問候補の目安です。たゆまず学び、徹底的に調べ、自分が解決したい問題への理解を深めましょう。問題に関連するものを見つけたり、影響の実態に気づいたりしたなら、すでにいくつかのアイデアが頭の中をめぐっているかもしれません。しかしそれらを書きだす前に、以下の質問についても考えてみてください。

・その問題に対して、現在どのような解決策がありますか？
・既存の解決策の中に、補える欠陥はありますか？
・その問題を解決するために検討されている画期的な技術はありますか？

　既存の解決策は、自分の解決策を明確にする上で特に重要な部分です。既存の解決策を参考にして作りあげるにしても、よりすぐれたものを生みだすにしても、すでになされていることを確認したほうがよいでしょう。この作業は、「調査」の章でもさらに徹底的に行うことになります。すでに有効活用されていて、欠陥も最小限におさえられている現行の解決策がたくさん見つかりましたか？　その場合は観察にもどり、問題のリストを見つめなおす必要があるかもしれません。

ひとくちアドバイス！

イノベーションではプロセスをいきつもどりつすることが多いので、いくつかのステップで迷子になったように感じることもあるかもしれません。でも大丈夫。それはプロセスの一部です。このことについては、第8章の「失敗とくり返し」でくわしく説明します。巻末の「情報源」のページでは、成長し続けるための考え方である「グロース・マインドセット」についてのサイトを紹介しています。

アイデアのリスト

　小学2年生のころをふり返ると、小学校の授業でアイデアを練ったり、企画を考えたりするたびに、「ブレインストーミングのプロセス」があったことを思いだします。7歳の私は、その時間があまり好きではありませんでした。実際に実行できるようなしっかりしたアイデアを思いつくのに、たった10分しかあたえてもらえなかったのです。それからというもの、限られた時間の中でブレインストーミングをしたり、アイデアを出したりするのは、ずっと苦手なままでした。けれどアイデアを考えだすようになってから、ブレインストーミングを好きになる必要があることに気づきました。さらに学んでいくうちに、ブレインストーミングは自分なりのやり方でやっていいのだとわかってきました。

　私は自分のやりたいようにブレインストーミングをしてみました。10分で実現可能なアイデアを生みだすのはとても無理だと気づきましたが、限られた時間でアイデアを生みだすスリルを楽しめるようになっていました。そこで、ブレインストーミングを最終的な解決策を見つけるためのものではなく、思いついたあらゆるアイデアを書きとめ、調査の段階に進めるようにそれらを分類するステップにしたのです。

　イノベーション・プロセス中のこのステップにおいては、悪いアイデアと呼べるものは存在しません。ここではひとりでするブレインストーミングに焦点をあてていますが、パートナーと一緒にアイデアをブレインストーミングするのが好きな方は、ぜひそうしてください！　チームを組むのは、アイデア出

しを活性化させ、イノベーションをおこすすばらしいやり方です。少し調べたことから得たインスピレーションを活かし、既存の解決策を再認識し、先ほどの質問の答えをもとに、リストアップをはじめましょう！

　ここで少し時間をとって、自分がいる部屋を見まわし、2分タイマーをセットするか、時計を確認してください。2分間で自分の部屋をもっとよくするためのアイデアを15個考えだして、それを紙きれや付箋に書きとめてほしいのです。今は自分がとりくむことにした問題のことは考えなくてかまいません。どうすれば部屋をよりよくすることができるかだけに集中しましょう。問題には後でもどります。難しいと思うかもしれませんが、どんなアイデアも悪いアイデアではないということは覚えておいてください。思いつく限りのアイデアをすべて出しきって、自分の考えたことが「正しい」か「間違っているか」にはとらわれないように。さあ、はじめ！

ひとくちアドバイス！

質より量のほうが大切だということをお忘れなく。アイデアや話題の数は、それらのアイデアがどれだけ「よい」ものであるかよりもはるかに重要です。調査のステップでリストをしぼりこむことになりますが、この段階では、できるだけ多くのアイデアが得られるようにしてください。

　終わりましたか？　よくできました！　リストを見わたし

て、「世界最高のアイデアとはいえないかも……」と思うかもしれません。でも、大丈夫です！　調査段階でさらにつっこんで調べ直す機会があります。

　鉛検出ツール「テティス」を考案したとき、ブレインストーミングをはじめたばかりの私のアイデアは、どうかしているものばかりでした。水中のバクテリアに鉛を食べさせるアイデアからはじまって、水中に化学物質を加えて鉛を中和するアイデアまでとびだしました。ええ、世界一合理的な解決策とはいえません。でも、ブレインストーミングでいろいろなアイデアを出さなかったら、現在のアイデアにたどりつくことはなかったでしょう。それは私のアイデアのリストにあったのですから。

　たくさんあれば、選択肢もふえる。これこそがまさに、ブレインストーミングがアイデアを得るのに役立つゆえんです。プロセスを続けられるよう、頭にうかんだすべてのことを紙に書きだしましょう。

**10代の
イノベーション事例**

—— ソフィア・オンジェル

学生時代、地元のコミュニティで性別を理由にしたハラスメントの問題に出くわしたソフィアさんは、他のだれも同じように傷ついてほしくないという一心でアイデアを練り、「ReDawn」というアプリを開発しました。ReDawnは、精神的にトラウマを負うようなハラスメントの被害にあった人に、必要なサポートを得られる場を提供するアプリです。

アイデアの整理

　個人またはチームで、解決策やさまざまなアイデアを出しつくしたら、調査段階に進んだときに使えるように整理します。アイデアを整理する方法はいくつかありますが、私がもっとも効果的だと思うのは、KJ法と呼ばれる手法です。

　KJ法とは、アイデアを共通のカテゴリに分類する手法で、次のステップに進むときにまとめて調査しやすくなります。以下はKJ法の基本的な概要です。

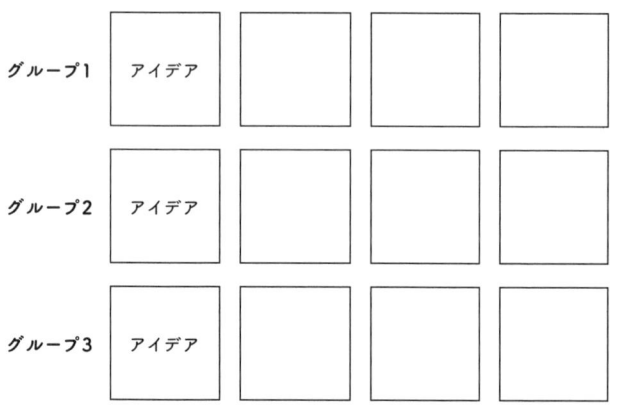

　それぞれのアイデアが付箋のように見えることに気づいたかもしれません。私は壁やホワイトボードに付箋を貼るというやり方で、KJ法をするのが好きです。コンピュータの画面上に付箋を貼れるソフトもありますね。それぞれの付箋は、短時間

のブレインストーミングで出たアイデアを記したものです。
「グループ」は、アイデアを適切に分類するためのカテゴリー
です。解決策を見つけるため、好きなだけグループやアイデア
をふやしてもかまいません。たとえば、私がエピオーネ制作に
向けて実施した KJ 法はこんな感じです。

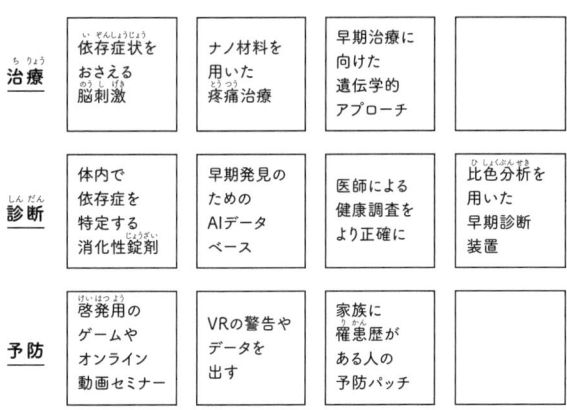

治療	依存症状を おさえる 脳刺激	ナノ材料を 用いた 疼痛治療	早期治療に 向けた 遺伝学的 アプローチ	
診断	体内で 依存症を 特定する 消化性錠剤	早期発見の ための AIデータ ベース	医師による 健康調査を より正確に	比色分析を 用いた 早期診断 装置
予防	啓発用の ゲームや オンライン 動画セミナー	VRの警告や データを 出す	家族に 罹患歴が ある人の 予防パッチ	

　当時の私には、調査したいと思う 3 つの明確なカテゴリーが
ありました。治療、診断、予防です。それから 10 個のアイデ
アをこの 3 つのカテゴリーに分類しました。
　さて、あなたが思いついたたくさんのアイデアの分類は終わ
りましたか？　それにしても、どのアイデアにとりくむべき
か、どうやって判断すればよいのでしょうか？

　これは簡単です。最初に行った調査を覚えていますか？　あれは自分のアイデアをリストアップするためだけのものではありません。どのカテゴリーを重視するかを判断するのにも役立ちます。既存の解決策における欠陥、さらには統計データやもっとも影響の大きい領域など、調査でわかったことをあなたが作ったグループに分類してみてください。私はこの作業をはじめたら、直感的にわかりました。思いついたことがすべて、魔法のようにひとつのカテゴリーに導かれているように感じました。

　欠陥の数が多く、影響が大きく、統計データもあり、問題の根本的な原因となっているカテゴリーが、もっとも重視すべきカテゴリーになる傾向があります。最終的にそれが正しいものではなかったとしても、どう転んでも大丈夫なポイントとして、いつでもこの段階にもどってくることができます。

ひとくちアドバイス！

まだ４マス法とKJ法を理解しきれていないという人は（本に書いて説明するのは難しい技法ですから）、私のYouTubeチャンネル「Just STEM Stuff」にアクセスしてください。「How to Narrow Down Your Ideas（アイデアをしぼりこむ方法）」というタイトルの動画が理解に役立ちます。

さて次は？

　私たちは解決空間（solution space）を探索し、解決策のアイデアを何とかできそうなものにしぼりこみました。次のステップでは、いよいよ解決策の詳細を調べあげる作業に突入します。その分野の専門家を探して話をきき、最終的に開発したい、たったひとつの解決策に焦点をしぼります。製品開発において重要な、計画やスケジュールなどについてもお話しします。

氏 名 _____

クラス _____ 日 付 _____

ステップ2「ブレインストーミング」の体験ワーク

先生の指示にしたがい、このワークを使ってブレイン
ストーミングのプロセスを体験しましょう。番号にそっ
て、順番に進めてください。

※ QRコードで https://www.kumonshuppan.com/wpr/pdf_parts/34231_02.pdf にアクセ
スすると、A4印刷可能なワークシートのPDFをダウンロードできます。

1. 初期調査

調査を行う3つの情報源の名前を書きましょう。

情報源1: _____

情報源2: _____

情報源3: _____

ブレインストーミング用のメモ欄（らん）

```
[空欄]
```

2.KJ法

―――

分析の結果、重点的に調査するカテゴリーは何にしますか？
それはなぜですか？

どのように調査にとりくみますか？
ここに考えをいくつかあげてみてください。

まだよくわからない、という人も安心してください。
これからさらにくわしく説明します！

第 5 章

ステップ3 ──
調査する

　調査という言葉をきいて、あまりいいイメージはもちません よね。私も昔は、たくさんのウェブサイトを見たり、家中雑誌 を探しまわったりすることを想像するだけで、身震いがしたも のです。散らかっている自分の机が目にうかびます。そうなん です、調査がイノベーションのプロセスにおいてきわめて重要 なステップであることをお伝えすると、恐怖感を抱かれるのが ふつうの反応です。たしかに調査には、たくさんのウェブサイ トを見て、図書館に日参して、いろいろな情報源を調べまくる といった行為が必要かもしれません。でも、思うよりもずっと 楽しいものです。

　経験上、「調査は楽しいもの」とみなさんを説得するのが難 しいのはわかっています。でも、調査が楽しいものであるため には、調査を自分の力で楽しくすることが必要です。この章で は、調査の楽しいやり方を紹介したいと思います。

　ふれづらい話題にふみこみましょう。なぜ多くの人は、調査 が好きではないのでしょうか？

1. 時間がかかる…どこかでいきづまって手が止まってしま うことがある。
2. 退屈である…刺激がない。
3. 難しい…ひとりの人間が、いったいどれほどの本やウェ

ブサイトを消化できるというのでしょう？　とてつもなく複雑なこともあります。また、特に学術用語を多用するような領域にとりくむ場合は、そういうものを読むスキルを身につけるという課題もあります。

　これらはすべて本当にあることです。こうした問題を解消するには、まず問題を受けいれるのが第一歩となります。調査の目的を理解するところからはじめましょう。
　調査を行えば、実行可能なしっかりしたアイデアを導きだすことができます。調査は一番厄介（やっかい）かもしれませんが、アイデアを一番飛躍（ひやく）させてくれる、おどろきにあふれたステップでもあります。

—— マヤ・リー

マヤさんは高校1年生のとき、「Team UKAPS（Uniting Kids Against Poverty and Sickness＝貧困と病気に立ち向かう子ども連合）」という基金を立ちあげました。新型コロナウイルスが大流行する中、この基金のもとに世界中の子どもたちが団結して、子どもたちが住む各地域の食料配給所に食べものを寄付する「フードドライブ」を企画（きかく）しました。さらに地元のレストランで料理をテイクアウトし、それを勇敢（ゆうかん）な医療（りょう）従事者たちに配達（い）しました。Team UKAPSの目標は、新型コロナウイルスの流行が収束したあとも、さらに多くの地域を救うことです。

メンターと専門家を見つける

　調査をはじめる前に、今まで調べてきた中で、もっと情報を得たくなるつっこんだ疑問が出てきたかもしれません。そんなときは、いろいろな人に声をかけて、調査の頼（たよ）りになるメンターや専門家を見つけるといいでしょう。学生の場合、自分の知識や学校などの場で教わることには限界があります。もちろんインターネットで検索（けんさく）したり、本を読んだり、論文を読んだりすることはできます。とはいえ研究論文の中には、専門家や教授に解読してもらうか、簡単な言葉で説明してもらわなけれ

ば、とてもわからないレベルのものもあります。

　メンターの視点や他人の目で確認してもらえば、挫折したときに代替手段を見つける手助けが得られたり、使えるツールをさらに紹介してもらえたりします。プロセスの中で必要なときに、手を貸してもらったり、意欲を確かめてもらったりするだけでもいいのです。

　専門家といっても、だれをどのように探せばいいのかわからない？　そう、もっともな疑問です！　専門家にコンタクトをとる作業自体は、以下に示すようにそんなに難しくありません。ただ、思うようにいかずもどかしく感じることはあるかもしれません。

- 調査したい分野にふさわしい地元のコミュニティ、研究室の管理者、教授などを探し、それぞれの人に求めるものをリストアップします。
- 自分のアイデアをもりこんだ動画を作成し、自分の求めていることを正確に依頼するメールの下書きや、電話での会話プランを練り、リストアップした人たちに実際に依頼をしていきます。
- メンターをお願いすることに気がねする必要はありません。それはちっとも非常識なんかじゃありません（私は最初の何通かのメールでお断りが続いたのでひどく落胆しましたが、最悪でも断られるだけだと気づいてから、何も怖くなくなりました）。
- 毎週ふり返りをして、だれに連絡をとったかを整理しておきましょう（私の場合、80％の否定的な回答と、20％の肯定的な

回答もしくは有効な助言を受けましたが、これが調査を大きく変えました）。

・だれかがメンターを引き受けてくれたら、その人があなたに何を期待しているのかをきき、その期待に応えるか、期待を上回るようにしましょう。考えたことを逐一その人に伝え、自分が正しい方向に進んでいることを確認してください。

少し探してみたら、私に好意的な回答を返してくれた専門家へのメール原文が見つかりました。基本的なテンプレート形式に直して掲載します。

{専門家の名前} 様
〈自己紹介〉

はじめまして。ギタンジャリ・ラオと申します。11歳で、テネシー州のブレントウッド・ミドル・スクールの6年生です。

〈要求〉

私が現在とりくんでいる重要なプロジェクトに、ぜひとも〇〇様のお力を貸していただきたく、このメールをお送りしています。

〈プロジェクトの内容〉

私のプロジェクトは、水道水の鉛汚染を迅速かつ信頼性の高い安価な方法で検出するのに役立つツールの開発です。特別に設計されたカーボンナノチューブアレイを用いて、鉛による抵抗の変化を検出するというアイデアです。カーボンナノチューブアレイの電気伝導度の変化を利用して、鉛とその化合物を検

出します。この技術は、有毒ガス検知器でガスの検出に使われてきたものですが、液体中の鉛化合物のような化合物の検出に使われたことはありません。

〈ショート動画〉

　この研究の詳細（しょうさい）については、添付（てんぷ）の動画をご覧ください。

〈お願いと返信期限〉

　ナノチューブやナノテクノロジーを利用した興味深いプロジェクトをご専門とされている〇〇様に、お願いしたいことが3点あります。お忙（いそが）しいところ恐縮（きょうしゅく）ですが、7月28日までにご回答をいただけますでしょうか。

〈やってもらいたいことを明記〉

・私の提案した解決策とその現実的な実現可能性について、〇〇様のご意見をうかがいたいです。ご指摘（してき）や提案をいただければ幸いです。

・〇〇様のご専門領域は私にとって非常に興味深いものです。このテーマに関連するナノマテリアルについて、現在進行中の研究は他にありますでしょうか？　その他にも最新の研究や資料があれば、ご教示いただけるとありがたいです。

・特に知りたいのは、鉛と親和性のある原子をカーボンナノチューブアレイに播種（はしゅ）する（埋めこむ（う））過程です。この点について、何らかの形で〇〇様にご指導いただけないでしょうか？また、どなたかご指導していただけそうな方をご紹介（しょうかい）願えれば幸いです。

〈感謝の気持ちを表現〉

　突然（とつぜん）のお願いで恐縮ですが、よいお返事をお待ちしております。どのようなご協力でもありがたいです。

以上、どうぞよろしくお願い申しあげます。

{あなたの名前}

ひとくちアドバイス！

自分のプロジェクトやアイデアについて説明する文面は、必ずよく練っておきましょう。また、返信期限とやってもらいたいことの一覧を明記することで、専門家が連絡（れんらく）をとりやすくなり、必要なものをすべて提供してもらえるようになります。メールが長くなればなるほど、教授や研究者が時間をとってくれる可能性は低くなるので、くれぐれも簡潔に。

このメールを送信したあと、さらに質問や電話をして、自分が本当に興味をもっているということ、そして自分のアイデアを追究し続けたいという考えを力説しました。

何度も断られると心が折れるかもしれません。それでも、目標に向かって努力を続けてください。私の場合は、ひとりの人がすべてを変えてくれました。たったひとり見つければ、もっとくわしい情報を得やすくなると自分にいいきかせましょう。専門家に指導してもらえば、生産性があがると信じるのです。それでは、先ほどお話ししたツールの話にもどりましょう。

調査が楽しいものであるためには、調査を自分で楽しくすることが必要だとお伝えしましたね。先にあげた問題点を解消し、楽しみながら調査を進める方法を紹介（しょうかい）したいと思います。

解 決 策 を 決 定 す る

　まずは、設計基準からはじめましょう。＜初期調査＞の段階で、既存の策の欠陥がわかったと思います。

　既存の解決策に、少なくともひとつは問題点が見つかったことでしょう。多ければ多いほどいいです。

　これから、あなたの解決策のあるべき姿を定義します。

・あなたの解決策で対処すべき主な問題点は何ですか？
・既存の解決策のすべての問題点を解決する必要がありますか？
・手ごろな価格にすべきですか？　既存の解決策を基準に考えた場合、普及させるにはどの程度の価格が望ましいですか？
・携帯性は必要ですか？
・それを使うべき人、使うと想定される人はだれですか？
・どの程度使いやすいものにできますか？

ひとくちアドバイス！

設計基準を定める際は、あらゆる基準を既存の解決策と比べ、自分の解決策でどのような効果をもたらしたいかを常に考えながら決めてください。設計基準はすべて、最終目標、つまり想定した効果を自分の解決策で達成できるかどうかにもとづいて決めなくてはいけません。

文章を書くのが苦手な方は、解決策を絵に描いて、文章をそえてください。以下は、私のチームが7歳のときに作成したスケッチの例です。絵は完璧でなくてもかまいませんし、芸術家になる必要もありません。考えていることをシンプルに表現した絵であればいいのです。

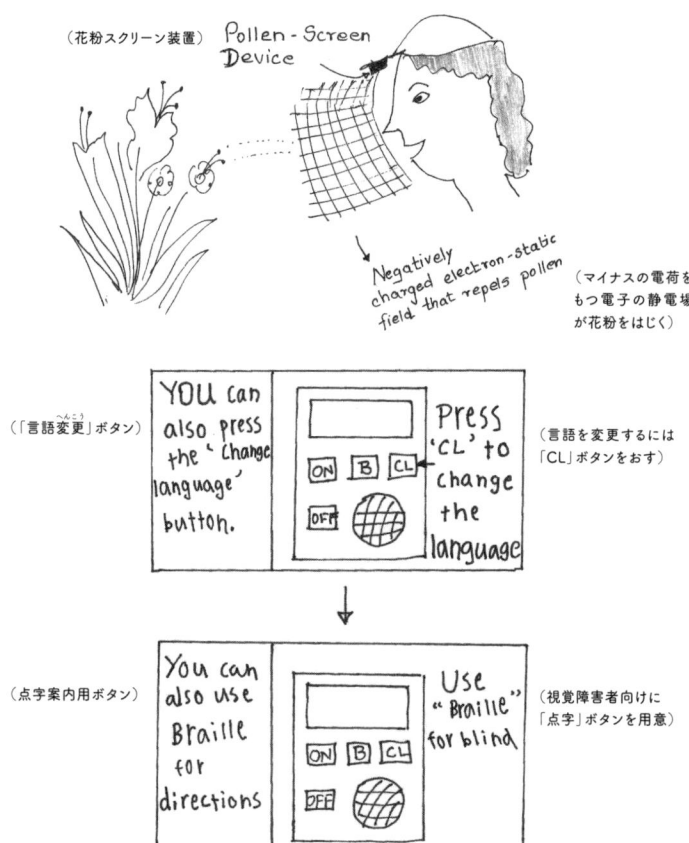

解決策のあるべき姿を思い描いたら、自分の解決策に合いそうなテクノロジーを探してみましょう。見つかった問題やその原因に対して使える具体的な手段を、少なくともふたつ考えだしてみてください。この段階では、「水中のブラックボックスをより早く発見できる装置」「位置情報を空港に知らせる信号を出せるようにブラックボックスを改良」というように、ざっくりでかまいません。衛星通信技術を使うのか、GPSを使うのか、3Dプリンターを使うのか、などを明確にする必要はありません。手に負えなくなって追いつめられないように、思いつきレベルにとどめておきましょう。何を使うか決まっている場合は、メモしておきましょう。

　次にとりいれるのは、マトリックス法です。この概念を友人に説明しようとすると、大半の反応はこんな感じでした。
「あー！微分積分でやるやつだ！」
「それって、お母さんがIT関係の仕事で使ってるっていってたもの？」
「カンペキ知ってるよ。この前、地学の授業で習ったやつ！」
　ええ、マトリックスは数学でも（matrix＝行列）、ITでも、地学でも（matrix＝石基）使う用語です。でも、本書でこれからとりくむマトリックス法は、それらとは関係がありません。

　マトリックス法は、アイデア同士を競わせる方法です。何をかくそう、私は競争を愛してやまない人間です。競争は見るのはもちろん、参加するのも、（できるだけ健全な形で）引きおこすのも大好きです。なぜなら、競争は前進し続けるための馬力を引きだしてくれるからです。これからマトリックス法を使い、ブレインストーミングで出してKJ法である程度しぼりこんだ

アイデア同士を競争させるようにします。

　オリンピックをご覧になったことのある方は、体操競技をご存じでしょう。各選手は平均台・ゆかなどの一連の種目を行うために整列します。

　審判団は、選手の「完璧な演技」を作りあげる能力を評価します。審判団は多種多様な技能を審査しますが、その中には次のようなものがあります。

・披露した演技の難易度
・演技のできばえ
・演技中のペナルティの有無

　審判員はある要素を他の要素よりも重大視します。たとえば、審判員は演技のできばえを、難易度やペナルティの有無より重視するかもしれません。つまり、それはより「重みづけ」されているということです。こうした基準にもとづいて、審判員は大会の優勝者を決定することができます。

　私がいいたいのは、そんなふうに自分のアイデアを競わせて一番いいアイデアを決定してみよう、ということです。オリンピックの体操競技みたいに！　マトリックス法の例をあげてみましょう。

観点 （重みづけ）	アイデア 1	合計	アイデア 2	合計	アイデア 3	合計	アイデア 4	合計
効果（5）		5×＿		5×＿		5×＿		5×＿
実行可能性 （4）		4×＿		4×＿		4×＿		4×＿
費用（3）		3×＿		3×＿		3×＿		3×＿
携帯性（2）		2×＿		2×＿		2×＿		2×＿
使いやすさ （1）		1×＿		1×＿		1×＿		1×＿
総合点	－		－		－			

　少し説明しましょう。一番左の「観点（重みづけ）」列は、先ほど考えた設計基準にもとづいて私が設定した5つの観点です。重みづけは、自分目線でもっとも重要な設計基準は何かを把握（は あく）するのに役立ちます。私は効果がもっとも重要だと思うので、それを一番高い値にしました。使いやすさはさほど重要ではないと思うので、一番低い値に設定しています。

　番号つきのアイデアが記載（き さい）されている各列は、各「出場者（＝アイデア）」のその観点での評価を点数で書きこみます。「合計」と書かれた各列には、評価の点数と重みづけをかけ合わせた数値を記入します。今すぐ理解できなくてもかまいません。次のページに示すエピオーネのマトリックスを見れば、わかっていただけるでしょう。

　一番下の行の「総合点」で総合計を算出すれば、最終的な勝者を決めることができます！

ここで、私がエピオーネのために作成したマトリックスを例として示しましょう。

　参考までに、私のアイデアは以下の通りです。

・アイデア1…体内で依存症を特定する消化性錠剤
・アイデア2…比色分析を用いた依存症の早期診断装置
・アイデア3…医師による健康調査の正確さを改善
・アイデア4…啓発用のゲームやオンライン動画セミナー

観点 （重みづけ）	アイデア 1	合計	アイデア 2	合計	アイデア 3	合計	アイデア 4	合計
効果（5）	4	20	5	25	2	10	1	5
実行可能性 （4）	2	8	4	16	3	12	3	12
費用（3）	1	3	3	9	5	15	4	12
携帯性（2）	5	10	4	8	5	10	3	6
使いやすさ （1）	4	4	4	4	5	5	4	4
総合点	－	45	－	62	－	52	－	39

　ここでは、先ほどあげた空欄のマトリックスと同じ5つの観点を使用しました。それぞれのアイデアを1点から5点の間で評価し、5点は「とてもよい」、1点は「よくない」としました。たとえば、アイデア1は費用面ではあまりよくないが、アイデア3は費用面で最高！というように。私は評価を決めるにあたり、それぞれのテーマについて少しずつ調べ、理解を深め

ていきました。それから私の「公式」を使って、自分の評価と重みづけの数値をかけ合わせ、それを合計欄に記入しました。たとえば、アイデア1の効果の評価が4点で、効果への重みづけが5なので、4×5で合計点は20になります。すべてのアイデアを評価し、合計の列に公式をあてはめたら、合計点をすべて足した値を総合点の行に記入します。そして、もっとも総合点のスコアが高かったアイデアを選び、「優勝」としました。

　おめでとうございます！　マトリックスに記入したことで、大量のアイデアのリストから、ひとつのアイデアにしぼりこむことができました。退屈でもないし、時間もそれほどとらないし、楽しめたのではないでしょうか。自分の力で調査を楽しくすることができましたね。

スケジュールの作成

　さあ、次のステップに進む前の最終段階です。スケジュールの作成！　きっとアイデアはあっても、「これを全部自分で形にするのは絶対無理」というささやかな恐れを心に抱いている人もいるでしょう。では、もし私が、全部を一度に形にする必要はないといったらどうでしょうか。
「でも……でも……それじゃこの本の目的が台無しでは？」
　とんでもない！　ひとつのアイデアであっても、やるべきことを細分化して、リストアップすればいいのです。ひとつひとつの作業がはっきりして、これなら先に進められそうだと思えるはずです。
　つまり、それがスケジュールを立てるということなのです。

スケジュールは自分の進行を把握し、みずからに締め切りを設定するひとつの手段です。私はスケジュールを立てるのが好きで、来週、再来週、1か月後、さらには1年後に何をするのかを把握しています。エピオーネについては目下、2022年末までの予定が決まっています。

ひとくちアドバイス！

先々までのスケジュールを立てなくちゃ、とあまり無理をしないでください！　私が最初に作ったスケジュールは、2、3か月分しかありませんでした。複数年にわたる計画があるならば、どうぞそれを実行してください。でも、数日や数週間とりくむことに集中したいのであれば、そういうスケジュールを立てるのも自由です。

　パソコンで作成したエピオーネのスケジュールを以下に示しました。計画がプロトタイプ制作にとどまっていないことに注目してください。自分がこのスケジュールを完全に達成できるかはわかりませんが、目指すつもりです。

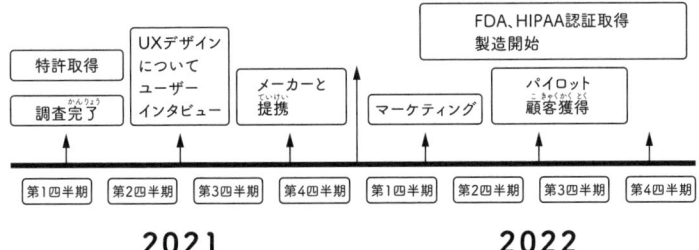

特許取得	UXデザイン		メーカーと			FDA、HIPAA認証取得	
調査完了	について	提携	マーケティング		製造開始	
	ユーザー			パイロット	
	インタビュー			顧客獲得	

| 第1四半期 | 第2四半期 | 第3四半期 | 第4四半期 | 第1四半期 | 第2四半期 | 第3四半期 | 第4四半期 |

2021　　　　　　　　　**2022**

＊FDA…米食品医薬品局
＊HIPAA…医療保険の相互運用性と説明責任に関する法律

　スケジュール作成は、これまでの道のりをふり返り、今後の計画を立てて、イノベーションのプロセスの残りの過程でやるべきことを把握するよい機会になります。

さて次は？

　解決策をしぼりこみ、解決法をくわしく知るために十分な調査を行いました。次章のステップ4では、解決策の構築にとりかかります。制作にあたって、選択肢に入れておきたいツールやテクノロジーについて説明します。現在利用可能なテクノロジーを組み合わせて実用的な製品を開発するために、どのようなアプローチが最適かを考えていきます。

氏 名 _____

クラス _____ 日 付 _____

ステップ3「調査する」の体験ワーク

先生の指示にしたがい、このワークを使って調査のプロセスを体験しましょう。番号にそって、順番に進めてください。

※ QRコードで https://www.kumonshuppan.com/wpr/pdf_parts/34231_03.pdf にアクセスすると、A4印刷可能なワークシートのPDFをダウンロードできます。

1.調査のやり方

どんなやり方で調査をしますか?

☐ 書籍／携帯端末で資料にあたる   ☐ オンライン論文＆ウェブ閲覧
☐ 動画＆マルチメディア資料閲覧   ☐ 専門家と話す／人とのやりとり
☐ 体験活動プログラムに参加   ☐ その他:_____

何も調べずに、自分のテーマについて知っていることをすべてここに書きだしてください。

_____

2.メンターへの依頼

一緒に研究したいメンターや専門家に出す、依頼メールの下書きを書いてみましょう。

_____

3. マトリックスに記入

観点 （重みづけ）	アイデア 1	合計	アイデア 2	合計	アイデア 3	合計	アイデア 4	合計
効果（5）		5×＿		5×＿		5×＿		5×＿
実行可能性 （4）		4×＿		4×＿		4×＿		4×＿
費用（3）		3×＿		3×＿		3×＿		3×＿
携帯性（2）		2×＿		2×＿		2×＿		2×＿
使いやすさ （1）		1×＿		1×＿		1×＿		1×＿
総合点		−		−		−		−

決定した解決策は何ですか？　それを見つけるために、
これまでどのような手段を講じてきましたか？

4. プロジェクトのスケジュール

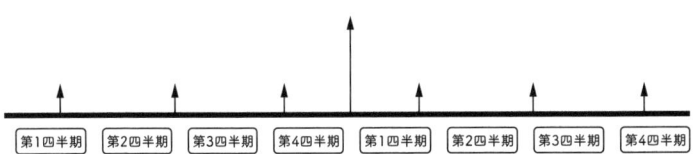

| 第1四半期 | 第2四半期 | 第3四半期 | 第4四半期 | 第1四半期 | 第2四半期 | 第3四半期 | 第4四半期 |

第 6 章

ステップ4 ──
制作する

　ふう！　ついに私が一番好きなステップ「制作する」にたどりつきました。私が作ることを心から楽しめるのは、とても実践的だからです。たしかに他の活動はインタラクティブですが、私は体を使って覚えるタイプなので、制作の段階に入り、自分の手を使ってクールなことをするのが待ちきれないのです！　調査しながらでも、解決策の一部を作りはじめることは可能です。好きなだけスケッチすれば、解決策を作りあげるために何が必要かを明確にすることができます。

従来の問題解決とデザイン思考との比較

　これまで問題解決といえば、問題を分解してそれを解決する具体的なアプローチをとる、という伝統的なやり方が一般的でした。しかし私のプロセス、特に「観察する」と「制作する」のステップは、別のアプローチが根幹をなしています。それは一般に「デザイン思考」と呼ばれるものです。他のテーマに進む前に、ここで両者のアプローチの違いを強調しておきたいと思います。

　両方のアプローチを把握し、なぜデザイン思考にもとづくアプローチがすぐれており、人気が高まっているのかを学んでみましょう。

■ 従来のアプローチ

従来のアプローチとは、一番よく使われる定番の問題解決法です。問題をとりあげ、その問題についてできる限りの情報を収集し、解決策の実現可能性を評価するなどして、問題解決にとりくみます。これは単純明快で、直線的で、体系的です。

例をあげてみましょう。ホームセキュリティシステムの顧客が、機器がときどき誤報を発すると苦情を申し立てたとします。

この問題を解決する標準的な線形アプローチは明快です。

ステップ1 問題の特定：企業によせられたすべてのフィードバックから、問題が機器の誤報であることは明らかである。

ステップ2 問題について入手可能な情報の収集：顧客の苦情やサービスセンターの担当者による検証で、誤作動した機器のモデル、警報対象となるインシデント（侵入、火災など）の発生有無といった必要な情報を得る。

ステップ3 解決策のしぼりこみ：企業は3つの原因（センサーの不具合、設定の不具合、顧客が機器を推奨されていない場所に設置したというユーザー側のエラー）について仮説を立てる。動きや煙の発生などの問題を従来どおり識別できるよう、センサーの微調整に解決策をしぼりこむ。

ステップ4 もっとも実現可能性が高く、問題解消を望める解決策の開発：企業はセンサーのソフトウェアを修正し、顧客の機器および今後開発する製品のソフトウェアをアップデートする。

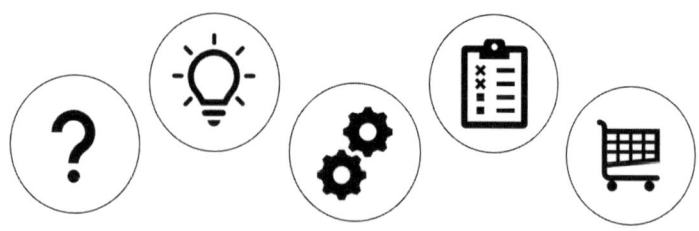

さて、あなたはこのアプローチをどう思いますか?

これで一部の顧客の問題は解決するかもしれませんが、このプロセスには解決策が根本的な問題を修正しなかったことを示唆する、重大な欠陥が残されています。たとえば、誤報が誤報ではなかったとしたらどうでしょうか。センサーが部屋の中にいる人間だと認識していたものが、ペットだったとしたら?センサーを推奨していない場所に設置するなど、本当は顧客側の問題だったとしたら? 顧客は誤報だと苦情を申し立てたものの、モーションセンサーが実際にオンになっていたとは考えもしていなかったとしたら?

このような疑問とそれに対応する情報は、問題を顧客の視点から見たときにはじめて発見できるものです。同様に、企業が考案した解決策は、企業の視点では実現可能な最善の策であっても、顧客にとっては最適とはいえないかもしれません。問題がセンサー感度とは無関係だった場合、顧客の問題は解消されません。このように、従来の問題解決法ではうまくいかない理由はたくさんあります。こうした欠陥に対処する代替プロセスが必要です。

■ デザイン思考

　従来のアプローチを理解したところで、デザイン思考のアプローチを見てみましょう。おおまかにいうと、デザイン思考とは従来のアプローチよりも直線的ではなく、枠（わく）にとらわれないアプローチのことです。問題を分解してデータを検討するという点では従来のアプローチと似ていますが、問題解決に必要なのはあたえられたデータから導けるものだけであるという前提には立ちません。問題の概要（がいよう）と手持ちのデータを、顧客目線（こきゃく）で問題をとらえるために用いるのです。真の問題にスポットがあたらないこともあります。大前提となるのは、顧客の気持ちになって考え、顧客の不安の原因となっている問題を、申告の有無を問わずリストアップすることです。この情報をもとに、それぞれに合った方法で問題を解決していきます。

　例を示すので、デザイン思考のアプローチで問題を解決してみましょう。まずは、デザイン思考の基本原則を理解します。

　利用者の気持ちになって考える：デザイン思考のプロセスの大半は、利用者目線で問題を見ることです。利用者が問題を明確に説明し、問題に関連するすべてのデータを提供してくれるとは限りません。しっかりヒアリングする人がいない場合もありますし、利用者自身にとってあまりに当然すぎることは口に出すのをためらう場合もあります。問題を解決する人の仕事は、提供されたデータのみならず、あらゆる手段や状況（じょうきょう）を推定して調査し、幅広く（はばひろ）多角的に原因を集めることです。解決策を開発する場合も、同じことがいえます。利用者からのフィード

バックを求め、実際の利用者のニーズに合わせて最適な解決策をしぼりこんでいくほうが、はるかに有益です。

発散思考と収束思考：問題にとりくむ前に、問題と実行可能な解決策の両方をしぼりこんでいくのが従来の思考法だとすれば、デザイン思考は異なります。デザイン思考では、なし得る解決策を決める前に、慎重（しんちょう）に問題空間（problem space）を広げ、解決空間（solution space）における可能な解決策の選択肢（せんたくし）をふやしていきます。目的は、制約にとらわれず、あらゆる選択肢を想像した上で、暫定的（ざんていてき）な解決策にたどりつくことです。暫定的というのは、まだ終わっていないからです。

プロトタイピング：実行可能な解決策は、手早くプロトタイプ（試作品）を開発します。設計を検証するとともに、利用者からのフィードバックを求めるためです。

テスト、失敗、反復サイクル：従来の直線的なプロセスとは異なり、開発、テスト、失敗、反復をくり返すのがデザイン思考です。このプロセスのすべてにおいて、中心となるのは顧客（こきゃく）です。

デザイン思考にもとづく解決策開発の全体的な流れを図で表すと、以下のようになります。

デザイン思考のコンセプトが強調するのは、ニーズに正しく応えるすぐれた解決策を構築するためには、利用者の立場になって考え、何度もプロトタイプ制作をくり返し、常に状況の変化を受けいれる必要があるということです。ホームセキュリティの例なら、創造性を発揮して状況を検討することで、利用者が言葉にした問題以上に問題空間を広げることができます。

　問題空間が明確になったら、解決の段階に入ります。ここで、うまくいかないかもしれない解決策を加えることで、可能な解決空間をふたたび広げます。ここでの目標は、制約を気にするのではなく、制約がないと仮定して、可能な選択肢を広げるべく考え続けることです。それから解決策の開発に入りますが、これは利用者からのフィードバックを受けるためのプロトタイプを作り続けることにほかなりません。開発と反復のサイクルをくり返し、可能な限りの選択肢を探っていくことで、問題を広く解決すると確信が得られる、たったひとつの解決策に決めることができるのです。ホームセキュリティの例でいえば、解決策は、動きを検出する際に人間とペットを区別する新しいセンサー機能を、機器に追加することであると判明しました。

　次のセクションで説明しますが、解決策の構築に深入りするにしたがい、私のプロセスはこのデザイン思考の原則にのっとったものになります。さらに10代の若者がプロジェクトにかける限られたコストと時間の範囲におさまるよう、実践的な要素を加えて発展させていきます。

プロトタイプの開発

　制作する目的は何でしょうか？　「制作する」とひとくちに
いってもその内容は広く、最終的に何をしたいのかを把握する
ことが大切です。「制作する」とは、イノベーションのプロセ
スを科学的なプロセスと区別するステップといえます。世界一
美しい製品を考案することにこだわる必要はありません。この
ステップでの目標は、作りたいもののおおまかなスケッチやデ
ザインを考えることです。
「制作する」ために使える伝達手段は次のとおりです。

・紙
・オンラインソフトウェア
・模型
・その他さまざまなツール

ひとくちアドバイス！

アイデアをスケッチするときは、手早くおお
ざっぱにやること。絵の完成度を高めるよりも、
アイデアを出すことに時間をかけたいのです。
自分が理解できさえすれば申し分なしです。

　どの伝達手段を選ぶかはあなた次第。自分のアイデアをどう
示したいか、自由に考えてください。もともとのアイデアを広
げる前に、まずは形にすることを重視したいのです。

くり返しになりますが、作りあげるものはすばらしいもので
ある必要も、販売できる製品である必要もありません。これは
プロトタイプであり、最初のアイデアの時点で思っていたとおり
の姿でなくても大丈夫です！　そのために反復プロセスが
あるのですが、これは本書の後半で説明します。プロトタイプ
の構築を3つのパートにわけて説明しましょう。

1. 材料探し
2. さて、何を作ろう？
3. 組み立てる

　材料を探すのは、とても難しいことのように思えます。今す
ぐ材料をあつかうお店にいけないかもしれませんし、自分の部
屋に科学実験室があるわけでもありません。でも、3Dプリン
ターやレーザーカッターのような高級なものが身近になくても
いいのです。楽しいエクササイズをしてみましょう。

・2分以内に自宅内の別の部屋にいき、それぞれ100円以下
のものを4つ選んでください。クリップ、紙、鉛筆、画
びょう等々、何でもかまいません。さあ、いってらっしゃ
い！

　ものは手元にそろいましたか？　いいですね！　ここでぶち
あたるのが、「さて、何を作ろう？」という疑問です。手元に
あるもので何かをする前に、これについて少しお話ししましょ
う。こういうことはよくあります。作りはじめるのに必要なも

のはすべてそろっているけど、バラバラのパーツをかき集めて
どうやって作ればいいの？　どう計画を立てるの？って思っ
ちゃいますよね。

　私が用意している答えは、お気に召すものではないかもしれ
ません。計画は「立てないで」ください。きめ細かく指示され
るのが好きな私としては、計画「しない」ことにいら立つこと
もあります。でもうまくいくのは、たいてい流れに身を任せて
いるときなのです。では、エクササイズを続けましょう。

・10分ほどかけて、集めた材料を組み合わせて、かっこい
　いものを作ってください。問題を解決するものでも、見た
　目がかっこいいだけのものでも、ただのおもちゃでもかま
　いません。

　さて、「作品」ができたら、じっくりふり返ってみてくださ
い。エネルギーがわきあがるのを感じましたか？　計画的にも
のごとを進めるのが好きな人は、イライラしましたか？　もし
そうなら、次はどのように進めればイライラせずにすむと思い
ますか？　あなたが保護者や教師なら、現時点でどのように指
導しますか？　イライラしている子どもが再チャレンジするの
を、どのように支援しますか？
　なお、制作するプロセスの中には、「イテレーション」（くり
返し）という段階もあります。イテレーションとは、自分のア
イデアを何度も改良し、最善かつもっとも効果的なアイデアに
仕上げるプロセスです。自分が作ったものが、自分の要求を満

たしきれなかったり、完全には問題を解決しなかったりして、作り直さなければならないこともあります。では、エクササイズにもどりましょう。

・作りあげたばかりのその作品を解体してください。別れを告げるのはつらいことですが、ときにはそれも必要なのです。さあ、そのバラバラのパーツはあなたの財産です。何か別のものを作ってみましょう。何でもかまいません！

　気づいているかどうかはわかりませんが、あなたはみごとエクササイズを完了し、イノベーションの過程で役立つ、「作りあげる」という体験をふたつも手に入れたのです。

　このスクリーンショットは、私が作ったネットいじめ防止アプリ「カインドリー」の原案です。これはアプリなので先ほどのエクササイズとは少々違いますが、最初のプロトタイプはアプリのイメージをつかむため、「MIT App Inventor 2」を使って10分足らずで作りました。

　私が開発した鉛検出デバイス「テティス」を見てみましょう。次のページの写真は、テティスが現在の形態になる前にはじめて作ったプロトタイプです。最初のプロトタイプは15分ほどかけて空き箱で作りました。

もともとはBluetoothスピーカーが入っていた箱だったと思います。家の中を見まわし、リサイクル回収箱をあさって不用品を探したのです。

特徴を明確にする

さて！　ようやくあなたの解決策のプロトタイプを作るところまでたどりつきました。少なくともプロトタイプのアイデアはあるでしょう。ここで、プロトタイプの設計基準、特徴、機能性を明確にしたいと思います。調査のプロセスでも考えていたかもしれませんが、自分のアイデアが実際にできることを深くほりさげて把握する機会になります。

ここで、基本的な設計基準の例を紹介（しょうかい）します。

・使いやすさ
・正確さ
・速さ
・安さ
・もち運びやすさ

　利用者にとって重要な順に優先順位をつけてください。おそ
らく自分で最初に思いついたふたつの基準は、あなたのイノ
ベーションと解決策の中核（ちゅうかく）となる機能です。それ以外は、利用
者の利便性のためだけの機能かもしれません。この作業をする
ことで、制作しているときに何を重視したいかを再確認できま
す。
　特徴（とくちょう）とは、あなたのアイデアに含（ふく）まれている独自の要素で
す。ウォータースライダーを例にあげてみましょう。ウォー
タースライダーの一般的（いっぱんてき）な特徴は以下のとおりです。

・すべりやすいスライダー

- すべりにくい階段
- 安全用の手すり
- ウォーターヒーター
- 強力なすべり止めつき着地パッド

　最初は意味がないように思えるかもしれませんが、特徴を考えることで、あるウォータースライダーが他のウォータースライダーと比べてすぐれている点、ユニークな点についての基本認識が得られます。

　次に、機能性を見てみましょう。機能性とは、さまざまな特徴のはたらきとその目的のことです。原則的に、特徴は「何であるか」を表すもので、機能性は「何のために」「どのように」を表すものです。

　ウォータースライダーの各特徴の機能性は、次のとおりです。

- すべりやすいスライダー……最新のプラスチックを使用。なめらかでスピーディなすべりが可能に。
- すべりにくい階段……ステンレスコーティング。すべりだし口までの安全性を確保。
- 安全用の手すり……スライダーの側面に金属製の手すりを設置。すべる速度を最大限コントロールするため。
- ウォーターヒーター……噴水部に内蔵。快適な乗り心地を実現。
- 強力なすべり止めつき着地パッド……ゴムの突起つき。高速かつ安全な着地のため。

このように、調査したアイデアの特徴や機能性を考えはじめることをおすすめします。以下は、カインドリーのホーム画面の特徴と機能性の図です。アプリなので少し違うことをふまえたうえで見てほしいのですが、基本的なルールは同じです。

名前入力欄:
ユーザーに合わせた情報を提供するため、ユーザーの名前を入力させる。名前は保存され、その後のアプリ利用時に用いられる

ロゴ＋ウェルカムメッセージ:
ユーザーを歓迎し、ロゴを認知させる

選択ボタン:
簡単にセッションを選択できるよう、ドロップダウンメニューを用意

新規作成ボタン:
セッションを新規作成すると、自動割りあてが行われる

**10代の
イノベーション事例**

――テイト・シュロック

テイトさんはコロラド州の地方に住む高校生で、地域のためになることをしたいと思っていました。彼は農場を営む家庭で育つ中で、土壌試料の採取作業の大変さに気づきました。特に何エーカーもある農地では、骨の折れる作業です。そこで彼は、より早く、効率的に土壌試料を採取するため、土壌探査ローバーを制作してプログラミングし、製品化にこぎつけたのです。

新しいテクノロジー

　今、私たちはおもしろい時代に生きています。新しいテクノロジーは、私たちの未来を形作るだけでなく、私たちにイノベーションの機会をもたらしてくれてもいるのです。10代でも、テクノロジーを使ってモノづくりができます。私たちはみずからをとりまく世界に目を向け、テクノロジーを活かしたモノづくりを目指していくべきです。ときどき、こんなことを思います。「もう発明や技術革新の余地は残されてないんだ」。でも、解決しなければならない問題を見つけだしたからには、当然余地はあるのです。これまでいくつものすばらしい発見がなされてきましたが、その中でも、私たちがモノづくりに利用できるテクノロジーに目を向けてみましょう。

5G無線技術

　無線技術と、その規格について説明しましょう。無線技術は、スマホや携帯端末にとって重要であるだけでなく、物理的なケーブル接続を不要にする可能性を秘めています。つまり、将来的に帯域幅とネットワーク速度が向上することで、自宅や会社に光ケーブルをひく代わりに、すべての通信が無線技術で行われるようになる可能性があるということです。現在の標準規格である「4G」(第4世代移動通信システム)は、それまでのネットワーク技術に比べて大幅に改善されていますが、遅延がほぼ無視できるレベルでなければならないリアルタイムのやりとりをするには、まだ少し通信速度が遅いといえます。

4Gの後継となる「5G」（第5世代移動通信システム）無線技術は、すでに登場しています。通信速度20Gbpsを実現する5Gなら、遅延がほとんどないほぼリアルタイムのやりとりが可能になります。遅延がゼロに近い即時的コミュニケーションときいてまっさきに想定されるのは、インターネットの高速化や動画の高画質化でしょう。でも、それだけではありません。現状のあらゆる難しい問題に、大幅な進展をもたらすものでもあるのです。

　たとえば、遠隔手術について考えてみましょう。遠隔手術には、外科医が直接手術室に来られないという理由で亡くなる人がいなくなるという、大きな可能性があります。熟練した外科医が、世界のどこにいようとも、遠隔操作で手術が可能になるのです。しかし現在の通信速度では、外科医の操作と患者に対する動作に、わずかながらもタイムラグが生じてしまうという問題があります。瞬時に対応しなければならない重要な手術では、一瞬の遅れでも致命的な結果をまねきかねません。

　5Gの通信速度なら、遅延がほぼゼロになることが期待されており、即時的コミュニケーションが現実のものとなります。同様に、会議に参加するために、その場にいなければならないということも、動画での参加で孤立することもなく、立体的なホログラムでの参加が実現するかもしれません。部屋にはだれもいないのに、全員がとなり合って席についているという可能性を思い描いてください。

　加えて、新しいデバイスや技術はますます携帯しやすくなり、より多くのデータ項目を送信して効果的な分析を行えるようになるでしょう。

■ ナノテクノロジー

　ここ10年で飛躍的な進歩をとげたナノテクノロジーは、今世紀の多くの新しいイノベーションの核となるものです。技術的にいえば、ナノテクノロジーとは、ある特定の元素を、原子・分子レベルで加工・修正することです。ナノテクノロジーは、さまざまな新素材や新製品を生みだし、ナノ粒子と呼ばれるミクロレベルの粒子を活用する無限の機会をもたらしました。薬学、材料科学、化学などは分野全体で、従来の解決方法の見直しと修正が進んでいます。ナノテクノロジーから生みだされたものによって、安価で信頼性が高く、着実な代替案が提供されるようになったおかげです。

　ナノ材料には、らせん状、チューブ状などさまざまな形状があります。カーボンナノ構造体のうちシート状のグラフェンと球状のフラーレンは、私たちの生活に大きな影響をもたらしていることから、発明者はすでにノーベル賞を受賞しています。円筒形のカーボンナノチューブ、円錐形のカーボンナノコーンやカーボンナノホーンといった他の構造体も、そのユニークな形状同士の組み合わせや他の元素との組み合わせにより、さまざまな用途への応用が期待されています。

　カーボンナノチューブ自体、単層、多層はもとより、チューブ内での炭素原子の結合の仕方次第でアームチェア型、カイラル型まで、多様な形状の選択肢を実験によって生みだせるものです。それぞれの組み合わせによって、特定の問題の解決に特化したさまざまな特性がもたらされます。さらに、ドーパントと呼ばれる他の元素（窒素やホウ素、水素など）と組み合わせれ

ば、ナノチューブに電気的特性の向上など独自の機能が付加されます。これにより、従来は不可能だったセンサーなどを開発することができます。

　カーボンナノ構造体が独自の機能を発揮するのは、もともとすぐれた導電性をもつカーボン（炭素）の特性を、特殊な形状の構成によって増幅させられるからです。この電気的特性の向上により、従来はコストや構造上の問題からあり得なかった、多くの用途の可能性が拓かれます。

　ドーピングは、特定の元素の原子をナノ構造体の炭素原子の一部とおきかえて、ナノチューブの電気的特性を変化させる特殊な技術です。ナノ構造体の特性変化を測定することで、電子デバイスを開発できます。

　ナノテクノロジーは、特定の細胞を標的にして病気を治すことができる、ウイルスよりも小さなロボットの開発も可能にします。ウイルスほどの大きさのナノボットは、がんからウイルス感染症まで、さまざまな病気の治療に活躍しうるでしょう。もしかしたら、パンデミックの治療法の未来は、ナノテクノロジーの中に眠っているのかもしれません。

■　データとアナリティクスの力

　現代社会では、毎日250京バイトものデータが生成されています。全データの90％近くが、この2年間に作られたものです。私たちは今、データにかこまれた世界に生きているのです。私たちが生成するデータ、機械が生成するデータ、収集されるデータ、そして分析されるデータ。アナリティクス、つまりデータ分析を手がかりとすることで、ほんの数年前には考え

られなかったような問いかけをしたり、状況を調査したりするチャンスが得られるようになりました。

　何年分ものデータをマイニング（訳注・膨大なデータから有益な情報を発掘すること）することで、トレンドや現状をつかむだけでなく、存在も知らなかった洞察が得られます。過去の医療記録からさまざまながん治療の進化のトレンドとその効果がわかるだけでなく、新たな診断法との関係も発掘されるかもしれません。高精度なデータサイエンスのアルゴリズムは、過去のデータをもとに、ものごとが将来どのように発展していくかを推定・予測することができるのです。これにより、科学的なイノベーションはもちろん、公共政策、社会インフラ、ヘルスケア、地域開発などを構想する上で、かつてないチャンスがもたらされます。

　このトレンドの次なる展開は、過去のデータや動向から「学習」し、未来の行動を模倣できる機械や人工知能の開発です。

　今や、ツールやテクノロジーはふんだんにそろっています。特にクラウド型テクノロジーを提供する企業のおかげで、データを収集して操作するのが容易になりました。学習への障壁が低くなり、データや分析から価値ある情報を抽出できるようになってきたのです。

■　人工知能

　前世紀が機械が反復的な作業を行う時代だとすれば、現代は人工知能（AI）によって機械も人間のように考え、判断できるようになる時代です。今のところ、一番いい選択をするには、人間の能力と経験が必要とされています。でも、想像してみて

ください。そうした日常的な判断が、近い将来、蓄積された人類の歴史を学習して最善の提案を行う人工知能にとって代わられることを。

　先ほどデータ、特にデータマイニングによって知見や動向を導きだすという話をしました。AIはこのデータマイニングをベースに、ものごとがおきる確率を推定して適切な操作を行う学習アルゴリズムを採用したものです。この操作の結果の善し悪しを将来の意思決定のためにシステムにフィードバックすることで、知性が生まれます。

　あなたの好みに応じてレストランをおすすめするAIがあるとしましょう。機械の一番のおすすめがあなたの好みに合わなかった場合、そのフィードバックはAIエンジンに送り返されます。次回おすすめするとき、AIはあなたの好みを思いだします。これがAIの学習方法です。AIの知能の向上により、人間の仕事や意思決定がおおいにやりやすくなります。

　数年前、「Internet of Things(モノのインターネット)」(以下、IoT) という概念が登場しました。日常で使うあらゆるモノ同士が、テクノロジーによってつながり、通信や情報交換ができるようになるという新しい技術的概念です。自動運転車という言葉を耳にしたことがあるでしょう。データアナリティクス、人工知能、高速ネットワークを組み合わせたIoTの時代が到来すると、まもなく自動車、道具、電子デバイスなどが超高速ネットワーク上で他のあらゆるモノと会話するようになります。モノ自身が知的な意思決定をくだせるようになり、広く社会に利益をもたらすでしょう。

■ バーチャルリアリティと拡張現実

椅子からはなれることなく、さまざまな場所にいける世界を思い描いてみてください。グランド・キャニオンの谷底のような広大な場所から、ノートパソコンの基板上にある微細回路のようなミクロの世界まで。形ある解決策を作りあげるために時間とエネルギーを費やす前に、バーチャルな世界で部品を組み立て、試し、シミュレーションすることを想像してみてください。

これらのことを可能にするのが、バーチャルリアリティです。バーチャルリアリティとは、現実の世界とその属性をシミュレーションするためにデジタルで作られた世界です。

処理速度、グラフィックス、可視化ツールの進歩により、バーチャルリアリティはSFの世界から現実の世界のものになりはじめています。ゲームの世界では以前からあたり前だったことが、少しずつ現実に適用されつつあるのです。バーチャルリアリティを利用すれば、医師はよりすぐれた技術を学び、安全に手術を行い、わかりづらい病気を研究し、体の中の問題を特定できるようになります。整備士や技術者は、目で見たものの関連情報を拡張現実で補いながら、より効率よく機械を修理できるようになるでしょう。海をこえて人々が集い、共同作業することも可能になります。

バーチャルリアリティを導入すると、長期的に見てコストをおさえることができ、現実では不可能な作業を試す機会がふえて、環境にもやさしくなります。そして何より重要なのは、これまで想像もしなかったような方法で問題を解決することがで

きるということです。

拡張現実（AR）はバーチャルリアリティの一種で、現実世界をバーチャルリアリティで補ったり、拡張したりするものです。拡張現実機能をもつカメラを思い描いてください。街の広場でカメラをのぞいてみれば、通常はお店やカフェ、通りなど、まわりにあるものが見えます。通りの名称やお店で売っているものの種類を知りたくなったら、AR機能をオンにします。すると、カメラは現実の世界を映しだすだけでなく、デジタルで道に通りの名前を重ね合わせたり、お店の簡単な説明とともに商品やお店の評価を表示したり、近くのピザ屋さんを教えてくれたりします。

この技術が意味するもの、そしてもたらしてくれる機会を考えると、これは強力なツールです。工場の労働者がARグラスを装着すれば、どの部品をどのように修理すればよいかを正確に把握することができます。コストのかかるエラーとも、長い訓練プログラムとも無縁になるでしょう。同様に、ARグラスを装着した外科医は、患者の体の解剖学的構造を正確な画像で、場合によってはリアルタイムで把握でき、安全に手術を成功させることができます。

■ 遺伝学/遺伝子工学

近代遺伝学の祖グレゴール・メンデルの発見以来、生物の形質がどのように決定されるかを明らかにする学問としての遺伝学は、ほぼ確立されてきました。他方、遺伝学や遺伝子工学の研究は、人間を含む生物のゲノム（遺伝情報）のマッピングや、細胞レベルで遺伝情報を操作する最先端の技術により、ここ

20年間で飛躍的に発展しました。

　過去数百年間にわたって行われてきた診断・治療方法は、症状を特定して原因となっている疾患を治療することを目的として進歩してきたものです。しかし、患者に自覚症状がない場合や、疾患が遺伝性である場合は、診断がうまくいくとは限りません。また、すべての病気を治療できるわけではなく、せいぜい一時的な治療にとどまることもあります。

　遺伝子工学、計算ゲノミクス、ゲノムマッピングといった遺伝子ベースの技術を利用すれば、ごく初期の段階で疾患の診断が可能になり、治療を検討できるようになります。家庭用ミニPCR検査キットや、遺伝子を切断する酵素であるCas9やCas12aを用いた遺伝子編集技術「CRISPR」といった先駆的な

研究成果のおかげで、この技術に幅広い関心が集まっています。

　興味深いことに、遺伝子にもとづいて家系や健康状態を特定することが、ビジネスモデルとして成功するようになってきました。身体の基本的な構成要素である遺伝子を、新しい製品、ソリューション、治療法、診断方法に利用する可能性は、まだ拓かれたばかりです。この分野ですぐれた研究をしている研究室や大学はたくさんあり、その成果は続々と公開されています。

■ ツールと技術

　これまでに何度もアイデア考案をくり返してきたあなたは、そろそろ形ある何かを作りはじめたいと思っているのではないでしょうか。その話に入る前に、アイデアをさらに発展させるための技術的なツールや便利なスキルをご紹介しましょう。

　最初はここに書いてあることがわからなくても大丈夫。以下に示すのは今後、これらの技術で解決策を強化したくなったときのための参考資料です。よりくわしい情報を知りたい方は、インターネット上にもたくさんの資料やガイド、レファレンスがあるので、参考にしてください。

■ マイクロコントローラとマイクロコンピュータ

　問題解決に向けた新たなとりくみやモノづくりの多くでは、自動化、センサー、電気的機能、信号の利用が欠かせません。モーター、太陽電池、電気回路、ブレッドボード（訳注・電子回

路の試作を簡単に行うことができるボード）に部品をはんだづけした電子回路、プリント基板など使って機械を作ってみてもいいでしょう。数年前まではこのような作業をするのがあたり前で、どのプロジェクトでも一から部品を開発することが必要でした。デバイスを改良する斬新な方法や新技術に注目する余裕もないまま、多くの時間を費やしてどうにか組み立てても、故障をくり返す融通のきかない機械のできあがり、ということも多々ありました。

　ここ数年でテクノロジーは変化しました。今はプログラムで制御できる低価格な小型携帯デバイスの時代です。これらはセンサーを使った計測、プログラム可能なロジックによる部品制御、複雑な同時操作など、さまざまなニーズに対応します。このようなデバイスによって、設計の自由度が高まるだけでなく、安全に失敗し、革新的なアイデアを生みだしやすくなって、よりすぐれた機器を開発できるようになります。また、さまざまなタイプのディスプレイ、各種センサー、Bluetoothや Wi-Fiなどの無線通信に対応しているほか、すべてプログラミングが可能なので、プログラムがハードウェアに組みこまれていて、変更が困難な電子機器と格闘する必要がありません。

　これらの製品は、一般的にマイクロコントローラやマイクロコンピュータと呼ばれます。代表的な製品は、Adafruit、Arduino、Raspberry Piです。次にあげる表は、一般的な違いと、私が推奨する用途を説明したものです。もちろん創造性を発揮して、その他さまざまな用途に活用してもかまいません。表を参考にしてください。

　たとえば、温度センサーを搭載したデバイスを作るとしま

特性	Adafruit	Arduino	Raspberry Pi
概要	人気のある小型マイクロコントローラ。情報のフローを管理する機能があり、センサー用のポートが内蔵されている。	人気の高いもうひとつのシングルボード・マイクロコントローラ。Adafruitと互換性があり、Adafruitよりも多機能なモデルもある。	マルチスレッド機能をもつLinux OSを搭載できるマイクロプロセッサ。イーサネット、ビデオ/オーディオに対応。
適した用途	フロー制御が必要な操作、単一機能の実行、低消費電力のBluetooth、Wi-Fi通信	低消費電力で単純なくり返し処理などのフロー制御をする場合、低レベルのハードウェアアクセス、単一機能の実行、低消費電力のBluetooth、Wi-Fi通信	完全なマイクロプロセッサ（多機能の実行、ハードウェアの統合サポート）、高出力ユーティリティ、大容量ストレージを必要とするもの
適さない用途	複数機能の同時実行、高い処理能力が必要なもの、Webアプリケーション、コントロール。	画像処理、リアルタイムのネットワーク通信、データの保存、インメモリー処理などの複雑な処理。	容量に制限があり、マルチプロセッシング機能を必要としない場合。統合されたハードウェアや大容量のメモリ、OSが必要ない場合。

す。異なる間隔で温度を読みとり、温度の値を使って何かをして、それを表示させたい場合は、AdafruitやArduinoのようなコントローラを使うと効果的です。同じプロジェクトで、写真撮影、画像処理、データ保存、レポート作成などのことをしたい場合は、Raspberry Piのような高い計算能力をもつ機器が最適です。

しかし、アイデアや解決策を、ひとつのマイクロコントローラやマイクロコンピュータに限定して考える必要はありません。さまざまなマイクロコントローラを活用して組み合わせれば、多様な機能をそろえられます。いろいろなマイクロコントローラを試して、一番うまくいくものを見つけてもよいでしょう。実験をいくらでもくり返せるのが、マイクロコントローラのいいところです。

マイクロコントローラやマイクロコンピュータのもうひとつの大きな要素は、プログラミングで動かせるということです。プログラミングをはじめるのは難しそうに思われますが、本もしくはコントローラ付属のユーザガイドを読めば、基礎からはじめるのに最適な情報源を見つけることができます。巻末の「情報源」（226ページ～）でも、すぐれた初心者向けサイトを紹介しているので、ぜひご覧ください。

■ ワイヤレス通信

次は、多くのプロジェクトで必須条件となっている携帯性の話です。携帯性とは、ツールや製品、機器を簡単にもち運んで使えることを意味しています。これを実現させるためには、ワイヤレス通信だけでなく、バッテリーのような長持ちする電源

が必要です。Wi-Fiは通常の使用であれば大変便利ですが、もち運びを前提とした機器や電力容量が限られている機器にはあまり適していません。現在、携帯用デバイスの通信手段としてもっともすぐれているのはBluetoothで、ほとんどの機器が対応しています。ただし、通常のBluetoothによるワイヤレス通信は、バッテリーを大量に消費する可能性があります。そこで検討すべきは、Bluetooth Low Energy（BLE）のような低消費電力を特長とする規格です。幸いなことに、BLEはほとんどのプロバイダがサポートしています。BLEのプログラムは別に学ぶ必要がありますが、高速で省電力なワイヤレス通信のすぐれた代替手段となり得ます。

　携帯性を実現するこのような通信機能は、一部のマイクロコントローラに簡単に組みこみ可能です。Bluetoothモジュールをとりつけたり、BLEを搭載したAdafruit製のボードを使ったりして、他の外部機器に接続できる機器や製品を作ることができます。

■　モバイルアプリ

　機器を効果的で使いやすくするためには、単に機能的であるだけでは十分ではありません。利用者が慣れ親しんでいて、わかりやすくアクセスしやすいユーザーインターフェースが必要です。そうなると、モバイルアプリが一番ということになりがちです。携帯電話を使っている人は、すでにモバイルアプリのインターフェースや操作に慣れているからです。

　携帯電話とインターフェースの話をする上で重要なのは、だれもが携帯電話をもっているわけではないということです（特

に発展途上国では)。そのような場合には、代わりに小さな液晶画面や光インジケータ、音などのユーザーインターフェースを用いて、デバイスからの結果を伝えることができます。

　それでもモバイルアプリを作るのであれば、開発はすんなりとはいかないことを認識しておかなくてはいけません。もちろん、熟練したプログラマーであれば、AndroidやAppleの独自技術や言語を使ってアプリを開発することができます。作りたい機能を選び、すばらしいアプリを開発することができるでしょう。

　もっとも、多くの機能を必要とせず、目的にかなった必要最低限のアプリを開発したいのなら、今はもっと簡単な選択肢があります。もっとも普及しているモバイルアプリ開発環境である「MIT App Inventor 2」と「Thunkable」です。いずれも、子ども向けプログラミング環境である「Scratch」のように、コードを表すブロックをドラッグ＆ドロップして部品のように組み合わせることで、モバイルアプリのような複雑なものを開発できます。App Inventor 2は現在、Androidアプリしかサポートしていませんが、Thunkableで開発したアプリはクロスプラットフォームに対応しており、AndroidとiOSの両方で展開することができます。

　注意してほしいのは、これらの開発環境は簡単に手早くモバイルアプリを開発するためのものであり、基本的で重要な機能のみに制限されているということです。ほとんどの場合は十分ですが、追加の機能やコントロールが必要な場合は、AndroidやiOS用のプログラム開発を学ぶことを検討してください。

■ ケースやカバーの設計・制作

　あなたが作る機器にカバーや防水ケース、しっかりした外装が必要になったら、3Dプリンターの出番です！　多くの人にとって3Dプリンターはまだなじみが薄いようですが、流行のきざしは見えつつあります。私は最終的なプロトタイプをたくさん3Dプリンターで作成し、きれいで実用に耐える仕上がりにしています。

　3Dプリンターで造形を成功させるためにまず必要なことは、すぐれたモデルを考えだすことです。プリントしやすく、何度もプリントでき、何よりプリント可能なものでなければなりません。この「すぐれたモデル」を思いつくまで、何度も挑戦してかまいません。自分でデザインしたものを3Dモデリングするのですから、しっくりくるまで寸法を微調整しましょう。ここでは、3Dモデリングの基本的なコツを紹介します。

1.　**ベースモデルを見つけて変更する**：3Dモデリングの初心者やこれからはじめようとする人におすすめなのは、ベースとなるモデルをネットで見つけて必要に応じて変更することです。3Dプリントコミュニティサイト「Thingiverse」や「Pinshape」で、3Dプリント用のモデルデータを探すとよいでしょう。既存のモデルデータを変更して使う場合は、多大な労力を費やして元データを作った原作者のクレジットを表示することをお忘れなく！

2.　**簡単なモデリングに挑戦**：モデリングがうまくなってきたら、ゼロから作りはじめることもできるようになるでしょ

う。まずは、3Dプリンターで出力しやすい立方体や直方体といった標準的な形を使い、シンプルなデザインからはじめてください。その後は、ちょっと変わった楽しい形やデザインを試してみてもいいでしょう。

3. **いろいろなファイルを保存しておく**：アイデアやビジョンが頭の中にあると、機能を追加したりかっこよくしたりするために、ついついやりすぎてしまうことがあります。3Dプリントするには大変なモデルでも、自分のコンピュータにそうしたファイルを保存しておくのはいいアイデアです。「プリント可能」なモデルをメインファイルとしてひとつ用意しておき、「プリント可能」ではなくても自分のビジョンを実現する機能を加えたモデルも、ひとつかふたつ保存しておくといいでしょう！

　モデルができたら、難所はこえたも同然です。頭の中にあるものをコンピュータで再現するのは難しいことですが、モデリングに自信がつくすぐれた初心者向けソフトやツールがあります。巻末の「情報源」（226ページ）でいくつか紹介しているので、参照してください。

　3Dプリントの次のステップは、スライスしてプリントすることです。こういうと、難しくきこえるかもしれませんね。スライスとは、モデルを3Dプリンタが理解できる形にするためにコンピュータが使う方法です。モデルを薄い円盤状にカットし、それを何層も重ねてプリントするのです。「情報源」に掲載したすばらしいアプリケーションの中には、デザインの自動スライスに役立つものがあります。

なお、3Dプリントにはさまざまな選択肢があり、スライスまでやってくれるものもあります。ここでいくつか紹介しましょう。

1. **公共の3Dプリンター**：多くの図書館には、通常のプリンターと同様に3Dプリンターが設置されていて、ファイルをアップロードすることができます。ほとんどの場合、図書館内のコンピュータで使用できるスライスソフトが用意されています。手持ちのSTLファイル（訳注・3Dプリンターで造形する3Dデータの標準的なファイル形式）をスライスソフトにアップロードすれば、印刷プロセスを開始できます（訳注・日本で3Dプリンターをお試しで利用するには、3Dプリンターを有料で一時利用できる工作スペースや、工作ラボ併設のカフェに行く、体験ワークショップに参加するなどの方法があります）。

2. **外部サービス**：3DデータのSTLファイルをアップロードすると、2〜3週間でプリント、仕上げ、表面加工までして自宅に送ってくれるサイトがあります！　私も初期のプロトタイプの一部は、こうしたサイトを利用してプリントしました。製造会社のシステムにファイルをアップロードすれば、製造会社がスライス、プリント、発送まで行ってくれるという、かなりシンプルなプロセスです。私が利用したすばらしい3Dプリントサービスは、「Shapeways」でした（訳注・「3Dプリント　サービス」で検索すると、日本国内のさまざまなサービスを見つけることができます）。

3. **自宅**：市販されている3Dプリンターの中には、ネットで購入できるすぐれた製品もあります。少々値がはるものもあ

りますが、近所のブログを検索するか、知り合いに声をかけるかして、3Dプリンターを借りて簡単なデザインをプリントできるかどうかきいてみるといいでしょう。学校に3Dプリンターがあるかどうか確認してもよいでしょう。または、少しずつ資金を調達して、自分の3Dプリンターを手に入れることもできます。自宅で3Dプリントをする際は、オンラインのスライスソフトウェアを使って、最高のプリントを作りましょう。

3Dデザインとプリントの世界にとびこむのにおすすめの方法を紹介しました。最初から簡単にとはいきませんが、コツコツ続けていけば、3Dプリントのプロセスを簡単にこなせるようになっていきます。体が覚えて自然にできるようになるということです！

■ センサー

作るものにセンサーが必要な場合は、そのセンサーが利用可能かどうかを確認することからはじめましょう！　Arduinoや Raspberry Pi などのマイクロコントローラについても同様です。私はこのふたつのマイクロコントローラでプログラミングする方法を独学で習得しました。インターネット上には膨大な量の情報があるので、あなたも独習が可能です。センサーやマイクロコントローラを使ってモノづくりをするのであれば、計画を長めに見積もってください。

楽観的な見方をすれば、これらのテクノロジーを適切に使え

ば、私たちは退屈な作業から解放され、難しい問題の解決に集中することができます。人類の想像力のおよぶ限り、イノベーションと問題解決は広がっていきます。

　医療、教育、未来型都市、製造、食品加工などの分野で、これらの技術がどのように組み合わされ、まとめて使われているかを探る記事を読んでみましょう。そうすれば、あなたの解決策を最新の技術革新に結びつけて、よりよいものにしていくイメージを思い描くことができます。何かを読むときは、メモをつけながら集中して読む習慣をつけるといいでしょう。読んでいる本や論文に興味をひかれる箇所を見つけたら、それをメモするのです。下線をひいたり、マーカーで印をつけたり、アイデアを書きとめたりすることで、読むことにより集中できるようになります。

ひとくちアドバイス！
最初からこうしたテクノロジーを使う予定はないかもしれませんが、それでかまいません。2回目、3回目の修正でこれらの進歩的なテクノロジーを使う機会が訪れたときに、もどってくるための参考資料です。

　あなたの考えた解決策が遺伝子や細胞などのより複雑なテーマの知識を必要とする場合、学びたい概念の理解を助ける基礎講座がさまざまなメディアで用意されています。たとえば、自分のイノベーションにとりいれようと考えているテーマについて、講座を受講することを検討してもよいでしょう。私はカー

ボンナノチューブについて理解を深めるために、ナノテクノロジーに関する講座を修了<ruby>修<rt>しゅうりょう</rt></ruby>了しました。

　先生や親、その他くわしい人に頼<ruby><rt>たの</rt></ruby>んで複雑な情報をかみくだいて解説してもらうことで、スキルを高めることもできます。理論を長々と勉強する必要はありません。たとえば、私の母が地元のナノ材料メーカーを見つけて連絡先<ruby><rt>れんらくさき</rt></ruby>を教えてくれたので、カーボンナノチューブの化学組成についてもっと知りたかった私は、見学を申<ruby><rt>もう</rt></ruby>し込<ruby><rt>こ</rt></ruby>みました。私はもともと化学にくわしいわけではなかったのです。父は、イオン結合と共有結合をわかりやすく説明した動画をいくつか見つけてきてくれました。周期表を全部覚えるまでもありませんでした。なぜなら、そうする必要がなかったからです。進み続けるために必要なことだけを学びました。

テストの実施<ruby><rt>じっ</rt></ruby><ruby><rt>し</rt></ruby>

　見落としがちなのが、作りあげたときのテストです。テストは退屈<ruby><rt>たいくつ</rt></ruby>な作業ですが、イノベーションのプロセスの中でもっとも重要といえる部分のひとつです。テストでは、目標を検証し、機能性を明確にします。どのような品質が必要かを認識し、それを開発プロセスに組みこむことは、すぐれたアイデアを思いつくことと同じくらい重要です。どうしてもうまくいかない解決策は、間違<ruby><rt>まちが</rt></ruby>った解決策です。では、テストにあたってまず考えるべきことはなんでしょうか。

　・テストに必要な材料は？

・自宅でできる？　それとも実験室にいく必要がある？
・専門家の助けが必要？

　正直にいうと、私はこのパートで完全に道に迷いこんだように感じました。私が試行錯誤し、多くの時間を費やしたあらゆるアイデアで、上記の問いをみずからに投げかけるたびに、テストをうまく実行できない、イノベーションを自分で作りあげることができない、その実力も技量もないということを思い知らされたのです。

　テティスの場合、「カーボンナノチューブはどこで手に入るのか？」「どうすれば自分用に作れるのか？」といった質問の答えが出せず、イノベーションがいきづまってしまいました。出ない答えが自分をどこかから見つめ、イノベーションの旅はおしまいだと告げます。たとえば、エピオーネの開発において、ひとつの遺伝子から産生されるタンパク質のバリエーションという核心部分に何年もかかっているのは、おもにどこから手をつけていいかわからなかったからです。メンターのひとりであるマクマリー博士に、ナッシュビルの知人を通じて連絡をとることができ、ついにそのプロセスを指導してくれる親切な人が見つかりました。彼の指導でテストがはじまってからも、「μオピオイド受容体の遺伝子OPRM1を有する酵母菌株」の適切な組み合わせを得るための試行が続きました。

　しかしここは1日、1週間、あるいは1か月休んで、再検討し、大人の指導を求めるところです。製品のマーケティングをするように、自分の解決策を大人たちに売りこみ、使えるものと情報はすべて使いましょう。「無理だよ」という答えを受け

いれてはいけません。あなたのアイデアが絶対に不可能だといわれても、自分の意志を貫き、開発した製品のストーリーを作り、メンターに連絡をとり続けるのです。

一方で、代替案も考えましょう。以下のような質問を自分に投げかけてください。

- 家でできることは何か？（参考→「情報源」226ページ「自宅を科学実験＆モノづくりの研究室にする」）
- 疑似的に使えるテクノロジーやソフトはあるか？
- 自分の仮説を一部でも裏づけられるか？
- 自分が作ったものを使用し、ひとまずモデルとして使えるか？

ひとくちアドバイス！

アイデアをアイデアのままにしておいて、アイデアを実現するために資金調達を募ったり、奨学金やフェローシップに応募することを検討してもよいでしょう。他の組織と一緒に研究し、製品をさらに発展させることも視野に入れてください！

研究は常に発展途上にあります。出てきたアイデアをすべて文書で記録し、最終的にそれらをまとめて自分がどれだけ進歩したかを確認できるようにしておきましょう。

さて次は？

　多くの人に影響をおよぼす問題を特定し、その問題に対処しようとする解決策を作りあげたみなさんの努力に敬意を表します。けれど、ここで終わりではありません。解決策を世界に向けて広め、発表しなければ意味がありません。プロセスの最終ステップである次章では、解決策を自分の部屋から世界に向けて発信するやり方を説明します。コンテストに出るのは、自分の作品に注目を集め、支援してもらうのにうってつけの方法です。メディアを使ってメッセージを広めるのもいいでしょう。こうしたことすべてをあつかいます。

氏 名 _____

クラス _____　　日 付 _____

ステップ4「制作する」の体験ワーク

先生の指示にしたがい、このワークを使って制作のプ
ロセスを体験しましょう。番号にそって、順番に進めて
ください。

※ QRコードで https://www.kumonshuppan.com/wpr/pdf_parts/34231_04.pdf にアクセ
スすると、A4印刷可能なワークシートのPDFをダウンロードできます。

1.作りたいもののイメージ図

スケッチ1

スケッチ2

2. 入手できる材料

手元にどんな材料がありますか?

どんな材料が必要だと思いますか?

3. 特徴と機能性の定義

作りたいプロトタイプの特徴や機能性を、
それぞれ上位5つずつ書きだしましょう。

特徴

1.
2.
3.
4.
5.

機能性

1.
2.
3.
4.
5.

一番興味をもっている技術、もしくはゆくゆくはプロトタイプに
使ってみたい技術は何ですか？

- ☐ 5G無線技術
- ☐ ナノテクノロジー
- ☐ データアナリティクス
- ☐ 人工知能
- ☐ バーチャルリアリティと拡張現実
- ☐ マイクロコントローラとマイクロコンピュータ
- ☐ ワイヤレス通信
- ☐ モバイルアプリ
- ☐ 3Dプリンター
- ☐ センサー
- ☐ 遺伝子工学
- ☐ その他

なぜその技術に興味をもったのですか？

第 7 章

ステップ5 ——
伝える

「ステージ恐怖症」という言葉をきいたことがありますか？
あなたもステージ恐怖症かもしれませんし、もしかしたら、そ
のことを気に病んでいるかもしれませんね。ステージ恐怖症は
だれもが経験することです。ステージに上がる前、あるいはだ
れかと話しはじめる前に、胃がしくしく痛みだし、急に気分が
悪くなる。こんな書きだしからはじめたのは、この章「伝え
る」の目的をお話ししたかったからです。

　あらゆる努力を重ねて、観察し、調査し、作りあげた結果、
ようやく世界に向けて発信できる完成品を手にするところまで
やってきました。ここからは、目的のために伝えるということ
に注力していきましょう。私は、人とのやりとりは怖いことで
はなく、楽しくできるものだと考えています。この章のねらい
は、アイデアや質問を効果的に伝えるいくつかのステップを紹
介するとともに、ステージ恐怖症のような根強い不安を乗りこ
えることです。

　では、伝える、共有するとはどういうことでしょうか？　伝
えることで、ほかの人に自分が何をしてきたのかを示せます。
さらに自分が解決しようとしている問題や、答えを出そうとし
ている疑問について、どのように認識を広めていくつもりなの
かを知らせることができます。

　意見を人と共有するにはどうすればいいでしょうか？　解決

策を作ることと同じように、それは完全にあなたの自由です。自分のアイデアを共有するもっとも効果的な方法は、スライドショーを使ったスピーチやプレゼンテーションだと思います。Q&Aパネルや自作の曲など、自分のメッセージを広めると思えるものを用意して、アイデアを共有してもいいでしょう。

　本題に入る前に、個人的な話をさせてください。

　5、6歳のころから、両親は私を見知らぬ人だらけの状況におくことが常でした。最高の状況とはいえないまでも、そのおかげで今の私があります。長い間、人前で話すのが一番の不安でしたが、今では毎日のように人前で話しています。恐怖心をとりのぞくための最良の方法は、自分の恐怖心と向き合うことだと気づいたのです。

　小学2年生か3年生のころから、スピーチする機会が多くなり、大勢の人に向かって話すようになりました。私はトーストマスターズ（司会者）クラブに入会しました。トーストマスターズクラブとは、人前で話すことやコミュニケーションスキルを向上させることを目的としたクラブです。私はクラブの最年少でした。もちろん最初はかなりイヤでしたが、今ではまったく自然にスピーチできますし、楽しんでやっています。

プレゼンテーション・スキル

　こんな話を枕にするということは、これからステージ恐怖症について話すと勘づいた方もいるでしょう。学校でのプレゼンテーションや発表会が怖い人もいるかもしれません。ステージ恐怖症はよくあることですが、防げるものでもあります。ス

テージ恐怖症を克服するため、私が考案した、プレゼンテーションやスピーチが総合的にうまくなる方法をご紹介します。「S.P.E.A.K.」という合言葉を使って、人前で話すときの心得を意識しましょう！　心得をひとつひとつマスターできるように、短いエクササイズを用意しました。

S — Sound（声量）：部屋にいる全員が自分の声を完璧にききとれるように、大きすぎず、小さすぎもしないちょうどよい声量で話すことを心がけてください。

エクササイズ　携帯機器で自分の声を録音し、きき返してみましょう。あなたの声の大きさはどのようにきこえますか？

P — Posture（姿勢）：姿勢は重要です。手をもぞもぞ動かさず、背筋をのばし、自信あふれる態度で立ちましょう。研究によると、自信をもっているように見せると、行動も自信に満ちるようになり、ステージ恐怖症の解消につながるそうです。

エクササイズ　トイレや家の中の鏡に向かって、こういいましょう。「私の名前は○○です。今朝の朝食は……でした」。自分の話す姿はどうでしたか？　自信が感じられましたか？

E — Eye Contact（アイコンタクト）：話す相手の顔を見るようにしましょう。ひとりと話す場合は、常に相手の目をまっすぐ見るといいでしょう。2人や3人などの小さなグループの場合は、全体を見わたしたり、おでこを見たりして、全員の顔を一度は見るようにします。大勢の人がいる場合は、視線をいきつもどりつして、聴衆を飽きさせないようにします。

エクササイズ エクササイズを一緒にやってくれる人を探しましょう。相手の目を見て、今朝の朝食の内容を伝えてください。目をそらしてしまったり、集中がとぎれたりしたら、別の人で試してみるか、同じ人で再挑戦しましょう。うまくやれるようなら人数をふやしてみて、どんな感じになるか確認します。どうでしたか？　どの集団が一番難しかったですか？

　A—Articulation（明瞭な発音）：はっきり発音することは大事です。だれもが理解できるように、自分の話す言葉が明確になることを心がけてください。話し方に緩急をつけ、語尾がききとりづらくならないようにするなどの工夫が必要です。

エクササイズ 社会実験だと思って試してみてください。友だち

や家族の中から、実験対象を3人選びます。ひとりには朝食に何を食べたかを早口で話し、もうひとりには同じことをゆっくりと話します。3人目の人には適切な緩急（かんきゅう）をつけてはっきりと話してください。みんなの反応はどうでしたか？　だれが一番わかってくれましたか？

K—Knowledge（知識）：プレゼンやスピーチの内容をしっかり理解していれば、自信をもってみずからの考えを広めることができます。何度も練習する、いいたいことを忘れないようにスピーチの要点を記入したカードを準備する、箇条書（かじょう）きで小さな項目（こうもく）ごとに覚えるといった暗記術を使うなどしてみましょう。

エクササイズ　家や学校から好きな本を選び、目を閉じて、ランダムにページをめくってください。そのページの内容をできるだけ多くしっかりと暗記し、知り合いの前で暗唱してみます。難しかったですか？　暗記力を高めるために、次はどうしたらいいと思いますか？　先生方へ。最初のプレゼンテーションの前にこのアクティビティを行えば、「アイスブレイク（緊張（きんちょう）をときほぐすこと）」ができます。

ひとくちアドバイス！

あたふたして緊張してしまったら、深呼吸をして、頭の中でゆっくりと3つ数えましょう。あなたは自分のいいたいこととスピーチの内容をだれよりもよくわかっています。だれにでもミスはありますし、緊張してもいいのです。

S.P.E.A.K.を実践できる自信がつきましたか？　人前で話す
スキルの改善法をしっかりと理解したところで、伝える力をの
ばし、クリエイティビティをもりこめる課題を紹介したいと思
います。

**10代の
イノベーション事例**

―― ラメシュ・クリシク

脊柱再建手術の複雑さを知ったラメシュさん
は、コンピュータビジョンと機械学習を活用し
て、リアルタイムナビゲーションによる手術支
援システムを開発しました。ラメシュさんは世
界中の学生に自分のメッセージや研究の内容を
伝え、科学への情熱や興味を追求する気持ちを
駆り立てています。

動画と論文

　スピーチするチャンスにめぐまれ、自分のアイデアを発表す
る準備が整ったら、自分のアイデアを動画や論文にする方法を
学びましょう。

　動画：動画は、情報をプレゼンする最高の方法です。動画を
メンターに送って、他の人に試してもらい、フィードバックを
もらうこともできます。まず、動画制作のポイントをいくつか
あげます。

・**動画は短くする**

・パッと見で目をひく
・わかりやすく、簡潔に

　以上、3つのポイントをおさえて動画を制作していきましょう。コンセプトを伝えるため、私は動画の長さを3〜4分程度にとどめたいと思っています。私の場合、動画のいたるところでアニメーションを使用します。また、できるだけ最初のほうで要点を伝えるようにしています。

ひとくちアドバイス！

動画は、専門家やメンターに回答を求めているときに送るのもいいでしょう。動画があれば、文章を長々と書かずとも、テーマを説明しやすくなります。メールの文字数をおさえることで、相手に負担をかけずにすみます。

　作成した動画は、あなたにとってかけがえのない財産になることを保証します。その動画は自分の教室や科学展、地元のSTEMクラブなどで共有し、フィードバックを得るために使えます。作り手以上に製品の性能に確信をもてる人はいません。自分の製品やアイデアが最高のものだと自分で納得できれば、世界を納得させることだってできるのです。

　技術的な研究論文：私はこれを学んでいるところですが、ためらいなくいえるのは、一番苦手な分野だということです。私はただ、論文の素材を全部まとめてどさっと放出したくなって

しまうのです。しかしすぐれた技術論文には、フォーマット、簡潔なグラフ、分析が必要です。私はいつも教授の指導を受けて、論文を書いたり見直したりしています。巻末の「情報源」（227ページ）で、しっかりとした研究論文を執筆するために役立つリンクを紹介しています。

　実感はわかないかもしれませんが、あなたはイノベーションのプロセスをひとまず終わらせたのです。それは旅と呼ぶにふさわしいものでした。あなたのアイデアも、実現するまでの過程も、すばらしいのひとことです。

■ 伝える相手を選ぶ

　次のパートに移る前に、「伝える」段階で見落とされがちなことをお伝えしたいと思います。それはよい聴き手を選ぶということです。課題の中で述べたように、よい聴き手とは、あなたが安心して自分のアイデアを共有できる人のことです。同時に、そのアイデアがだれに向けたものであるかも考慮する必要があります。

　私はインドの方から、エネルギー効率を高めるアイデアと、地方に住んでいるので情報源の探し方がわからないという手紙をもらったことがあります。最近はインターネットが普及しているので、限られた情報でできるものを作るか、少なくとも紙にアイデアを描くことを提案しました。

　私が提案したもうひとつのアイデアは、彼の提案を動画にして、地元の大学やエネルギー関連の団体に見せることです。こ

れはみなさんへのアドバイスになりますが、学校外のリソースにつないでもらえるよう、先生にお願いしてみてください。そうすれば、きっとだれかが助けの手をさしのべてくれるはずです。私は、注目を集めてさらなる情報を得るためには、伝えることがいかに重要かを彼(かれ)に教えました。彼が今もそれにとりくんでいるかどうかはわかりませんが。覚えておいてほしいのは、伝えるにあたって、プロトタイプが完全にできあがるまで待つ必要はないということです。

ひとくちアドバイス！

さまざまなソーシャルメディアを利用して、節度を保ちながら専門家や話をきいてほしい人に働きかけてください。あるいは両親の助けを借りて、アイデアを売りこむために人に連絡(れんらく)したり、電話をかけたりしてもよいでしょう。

　テティスの場合でいうと、私は水の専門家とテティスを共有したいと思っています。なぜなら、彼らは水の化学物質汚染(おせん)についての知識が豊富ですし、テティスにも興味をもってもらえると思うからです。テティスのターゲットは一般(いっぱん)家庭ですから、家庭に向けても製品を伝えるつもりです。エピオーネの場合は、医師や医学研究者とアイデアを共有したいと思っています。というのも現在、医療(りょう)分野では鎮痛薬(ちんつうやく)オピオイド依存症(いぞんしょう)がさかんに研究されているからです。カインドリーについては、同世代である10代や校区の人たちにアイデアを伝え、このアイデアをどうすれば継続的(けいぞくてき)に発展させられるかについて意

見をきいています。

　よい聴き手をターゲットにすることで、アイデアが現実のものになることもあります。私は伝えるターゲットをしぼってアプローチしたことで、アイデアに投資してくれる人、一緒に研究してくれる人、全段階を通じて指導してくれる人を見つけることができました。

さて次は？

　これで正式にイノベーションのプロセスを終えたので、あとは研究論文を書き、メンターを見つけ、かっこいい名前をつけるだけ……いえいえ、これで終わりではありません。目につくこと以外にも、イノベーションのプロセスには、もう少しやることが残されています。このステップで、自分のアイデアを効果的に伝える方法について話しました。次のステップでは、失敗に対処する方法を学びます。開発においては、実装とテストをくり返して完成度をあげるという過程がつきものであることを理解しましょう。

氏　名 _____

クラス _____　　日　付 _____

ステップ5 「伝える」の体験ワーク

先生の指示にしたがい、このワークを使って「伝える」
のプロセスを体験しましょう。番号にそって、順番に
進めてください。

※ QRコードで https://www.kumonshuppan.com/wpr/pdf_parts/34231_05.pdf にアクセ
スすると、A4印刷可能なワークシートのPDFをダウンロードできます。

1.S.P.E.A.K.

以下の問いに答えて、S.P.E.A.K.のエクササイズのふり返りを
行いましょう。
エクササイズの感触(かんしょく)はどうでしたか?

_____

うまくいったところは?

_____

もっとうまくやれたはずだと思うところはどこですか?

_____

S.P.E.A.K.の5つのうち一番好きな要素は?

_____

次に向けて何を改善したいですか?

_____

2.60秒動画の撮影

60秒の動画を作るにあたり、入れる予定の内容を
箇条書きにしてください。

```
┌─────────────────────────────────────────┐
│                                         │
│                                         │
│                                         │
│                                         │
└─────────────────────────────────────────┘
```

撮影から学んだことは何ですか？
あとでどのように動画を改善しますか？

```
┌─────────────────────────────────────────┐
│                                         │
│                                         │
│                                         │
│                                         │
└─────────────────────────────────────────┘
```

3.60秒動画を広める

撮影した動画をどのようにクラスで見せますか？　YesかNoに○をつ
けてください。

スピーチで動画をよりくわしく説明しますか？　　　　　　　YES・NO

イノベーションの過程についての簡単なメッセージを入れますか？　YES・NO

寸劇をするか、演劇に仕立てますか？　　　　　　　　　　　YES・NO

見ている人が一緒に問題解決を考えたくなるような問いかけをしますか？　YES・NO

該当するものがない場合、何をしますか？

```
┌─────────────────────────────────────────┐
│                                         │
│                                         │
│                                         │
│                                         │
└─────────────────────────────────────────┘
```

あなたのイノベーション体験を3つの単語で表現してください。
難しいかもしれませんが、気楽にやってみましょう。

_____、_____、_____

第 8 章

失敗とくり返し

　これで終わり、と思いきや、次のステップがあることに気づくでしょう。正確には、新しいステップではありません。これまでのステップをくり返して、解決策を改善していくのです。これは「イテレーション」（くり返し）とも呼ばれます。終わりがないように思えるかもしれませんが、イテレーションは世界の終わりではありません（そのように感じることもあるかもしれませんが）。

　基本的にイテレーションとは、自分のアイデアに大なり小なり変更を加えるプロセスです。私たちは問題を解決したいとき、可能な限り最高の製品を仕上げたいと思うものです。そうすれば、必要なフィードバックを得られ、自分の努力や研究を正確に表現できるからです。しかし……そのためには、いくつかの課題に直面しなければなりません。

　これまで失敗という概念や、失敗がどこでおこるかということについて、あまりお話ししていませんでしたね。失敗は、イテレーションして変更をほどこす最大の理由のひとつです。失敗にはさまざまな形があります。たとえば、やったことがだれかとかぶったり（この話はまた後ほど）、アイデアの一部が理にかなっていなかったり。ややもすると、最初に観測した問題がもはや問題ではなくなっている、あるいはもっといい解決策が登場しているかもしれません。考案した解決策を最後まで仕上げ

られる可能性は、思っていたほど高くないかもしれません。

　ともかく、たくさんのことがうまくいかない可能性がありま
す。とはいえ、落胆（らくたん）しないでください。イテレーションは、ま
さにこのためにあるのですから。もともとのアイデアを、さら
によいものにしていくのがイテレーションです。よくよく考え
てみましょう。私たちは失敗しない限り、決して成長できない
のです。テティスも、大きくてかさばるデバイスとしてスター
トしました。重すぎると気づいたら、小型化するにはどうすれ
ばいいか、調査のステップからやり直さなくてはなりませんで
した。今のテティスは、もち運びできる軽くて小さいデバイス
です。もしこの問題に気づかなかったら、テティスは今でも重
く大きいままだったでしょう。

失敗がおこるのは、設計段階だけではありません。失敗は、イノベーションのどの段階でもおこりえます。大切なのは、失敗を気にせずにプロセスを進めることです。私の場合、エラーやミスが発生したのは、たいていテスト中でした。うまくいくかどうかわからなくても、自分の解決策をテストしてみてください。テストとは、ミスを発生させるための時間なのです。

　もうひとつの楽しい概念を紹介しましょう。リスクをとるということです。リスクをとるとは、自分が怖いと思うことを追い求め、失敗するかもしれないと思いながらいかに勇気をふるいおこしていくかということです。リスクこそが私のライフラインです。私は何をするにしてもリスクをとるようにしています。自信をつけるためです。もちろん、リスクをとれば失敗することも多いということは、心しておく必要があります。

　ピアノを弾くことを例にあげてみましょう。私はピアノを11年ほど習っています。はじめたのは3歳のときで、最初に鳴らしたのは中央の「ド（C）」の音でした。ピアノは難しそうに思え、いやいや参加していましたが、リスクをとってやってみたのです。先生がドの位置を教えてくれて、それを弾くようにいわれたのですが、私が弾いたのは「ファ（F）」でした。たちどころに私は、二度とピアノはやりたくないと決めこみました。難しいし、もう失敗しちゃったし。

　両親は、もう一度思いきってやってみようと促しました。あ

なたが全力でやればきっとうまくいくと信じている、と。すごくためらいながらも、私は「はい」と答えました。もしまた間違えたら、やめてもいいという条件つきで。両親もこの条件を承諾し、私は2週間ドを鳴らす練習をしました。私は誇らしげな笑みを浮かべ、次のレッスンではピアノでドを完璧に弾いてみせました。たしかに、ファを弾いてしまったときは心が折れましたが、ドを完璧に弾いたことで、何にも代えがたい自信がついたのです。リスクをとって成功すれば、モチベーションがあがり、次に進むことができます。何かを作っているときにファを弾いてしまっても、いったん休憩して、うまくドを弾いてみせればいいのです。

　失敗談をお話しするとお約束しましたね。小学5年生のときの失敗談です。私は地上のレーザーがフロントガラス越しにパイロットの目をくらませるのを防ぐ、すばらしいアイデアを生みだしました。それは、レーザー光特有の周波数を吸収するメタマテリアル（訳注・光を含む電磁波の波長よりも細かな構造体を利用して、自然界の物質ではおきないような光との相互作用を可能にした人工物質）を利用したものでした。私は「伝える」ステップとして、このアイデアに関する提案書を書いていました。ぎりぎりまで統計を調査していたところ、前日に飛行機のフロントガラスにメタマテリアルを使うという記事が発表されていることを知りました。ショックでした。がっかりなんてもんじゃありません。完全にあきらめかけそうになりましたが、こう気づいたのです。「自分と同じことをする人がいてもいいじゃない。私はそれをもっと改良していこう」。

　さらに2週間ほどかけて、より強力なアイデアを思いつきま

した。ハーバード大学の研究にもとづいて考案したそのアイデアとは、「ルビジウム原子で光をとらえて結合した状態にすることで、あらゆる周波数の光を通常の光に変換する」というものです。新しいアイデアに興奮した私は、ハーバード大学の教授に手紙を出して、レーザー光にも同じことができないかと意見を求めました。最終的にこのアイデアをクラスやSTEMクラブで紹介したところ、みんなも気にいってくれ、さまざまな応用がきく画期的な技術として特別賞に選ばれました。

　これはほんの一例です。大事なのは、「あきらめない」ことです。どんなに大変でも、たゆまず続けることが乗りこえることにつながります。とにかくやり通しましょう。最終目標は社会に貢献することであり、問題の解決を人々から求められているのだということを忘れないでください。政治家であり、人権活動家でもあるネルソン・マンデラ氏の「なしとげたことで私を判断するのではなく、失敗してふたたび立ちあがった回数で判断してほしい」という言葉からも、インスピレーションを受けられるでしょう。

　完成したアイデアを伝えたら、もともとの観察、ブレインストーミング、調査、制作の各段階にもどり、少しずつ変更を加えていってほしいと思います。もしかしたら、すべてを投げうって最初からやり直したくなるかもしれませんね。そうしたいのであれば、やっちゃいましょう！　もっと時間をかけて、革新的な解決策を考えるのも悪くありません。自分のアイデアを強化するために、どこかしらを微調整したいと思うかもしれません。くり返しますが、やっちゃいましょう！

　現時点であなたが手にしている制作物、検討しているスケッ

チ、まとめた調査は、あなたがこれまで思いついた中で最強に完成度の高いアイデアです。でも、ここで終わりではありません。他にもクールなものを思いついたら、どんどんやり直し続けてください。挑戦の回数に制限はありません。

　以前書いたことを覚えていますか？　すばらしい新アイデアに名前をつけましょう。私は、自分のイノベーションや製品に、自分にとって意味のある名前をつけるのが好きです。私はギリシャの神々が大好きで、家族で製品に名前をつけることを楽しんでいます。メンターや先生、部品を提供してくれた身近な多くの人たち、サポートしてくれる人たちの助けを借りて、自分はこれだけのことができたのだと、しばし実感してください。あなたは自分がおもしろいと思うことを追い求め、イノベーターにつきものの挫折も乗りこえ、本書を通じて最後までやりぬいたのです。

■ さて次は？

　最高の仕事をなしとげましたね！　続いて、コンテストを通じてアイデアを世界に向けて発信するという、重要な段階に移りましょう。発信に向けて、自分のメッセージ・目的・アイデアを満足いくまでみがきあげるやり方を説明します。次章でとりあげるのは、メッセージを広め、自分のストーリーを伝える機会についてです。コンテストに参加する、フォーラムで話す、文章を書くといったことについて、さらにほりさげます。

「ひとりでは、私たちはほんの少しのことしかできない。
一緒なら、たくさんのことができる」

ヘレン・ケラー

このセクションでは、製品をコミュニティに
広めるための準備、コンテストに参加して認知度を
高める方法などを紹介します。
そして1章まるまる費やして、プロジェクトを発表して
提案するための確実な方法を伝授します。

第 9 章

認知度を高める

　おめでとう！　実用レベルのプロトタイプ、または部分的に実用に耐えるプロトタイプを完成させましたね。今こそ、自分の殻をとびだして利用者、そして世界に伝えるときです。

　私がやってよかったことのひとつが、何のために認知度を高めたいのか、理由を書きだすことです。以下の項目のいずれか、あるいは全部でもかまいませんが、いくつかの目標にしぼったほうがいいでしょう。

・問題を広めて、影響力のある意思決定者に何らかの行動

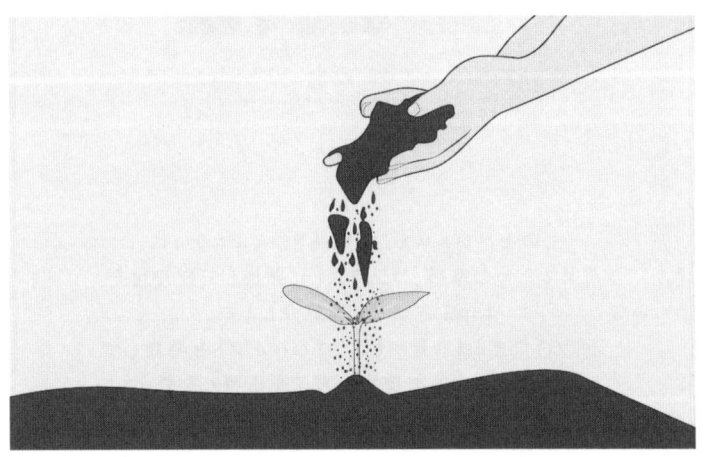

をとって役目を果たしてもらいたい？　自分がアクティビスト（社会的な活動家）になりたい？

・自分の研究や製品を仕上げて商品化したい？
・設計や製造のために、投資家を探したり、組織とコラボしたりしたい？
・大学に連絡をとり、専門家や教授の指導をあおぎたい？
・製品のパイロット版を作ったり、アイデアを試験的に実施したりしたい？（パイロット版なら、実害の少ない小さな規模で解決策を実施するのに適しており、そこから学ぶことができます）
・啓発活動を支援する組織でボランティアをしたい？
・募金活動をしたい？　寄付をしたい？

　グローバルなつながりは、今やかつてないほど強力になっています。自分のアイデアで何をしたいのか、それによって対象となる人々にどのような影響をあたえたいのかを決めることが重要です。たとえばTEDは、TEDトーク、TED TV、各地域でのTEDxイベントなどの形で、語り手のストーリーを伝えるグローバルな舞台を提供しています。インドでは、インド映画界のスーパースターであるシャー・ルク・カーンが、TEDトークのフォーラムを活用しています。彼はテレビの娯楽番組の中で、毎年15人ほどのゲストをまねき、イノベーションや社会変革、アイデアなどについて話をきいています。TEDのような組織や、シャー・ルク・カーンのような個人が、自分たちの知名度や社会的影響力を利用してイノベーションや斬新な試みを支援するために人一倍尽力しているのなら、私たちも努力次第で彼らの使命を果たす手伝いができるはずです。

同じように、人気司会者ジミー・ファロンは、『ザ・トゥナイト・ショー』（米NBC）の1コーナー「ファロンベンションズ」で、発明やイノベーションにとりくむ子どもたちをまねいて話をきいています。これも、娯楽番組を通じてイノベーションを促進する一例です。

　現代のグローバルなつながりが役に立つもうひとつの例を示しましょう。私がカインドリーにとりくんでいたとき、AI技術の理解が浅いために、ある箇所でいきづまってしまったことがありました。サービスを構築するべく、マイクロソフトに連絡をとって指導をあおいだところ、同社はよろこんでサポートしてくれたのです。後日、困っている一個人を支援してくれるマイクロソフトの親切さについて、CEOのサティア・ナデラに直接お礼をいう機会をもつことができました。

　要するに、手をのばせばあなたの使命をよろこんで支援してくれる個人や組織はたくさんあるということです。私は実際に動作するカインドリーのプロトタイプを作ったあと、もっとたくさんの人に影響をあたえたいと考えました。そんな折に知ったのが、集合的効力感（訳注・Collective Efficacy、自分たちには集団全体によい影響をあたえる行動を実行できる力があると、集団全体で共有している信念）という概念です。たちまちにして私は、どうすればテクノロジーを利用して人とのつながりやコラボレーションを形成できるのか、考えるのに夢中になりました。そこで、現代社会にグローバルな変化をもたらすことを目的とした組織Forbes Igniteと提携し、「エンパシー・シャーク・タンク」という新しいアイデアを実現するお手伝いをすることにしたのです。「エンパシー・シャーク・タンク」とは、新しい学年に

なったり、新しいグループに入ったりしたときに、先生と生徒がおたがいにつながれるように支援する試みです。カインドリーを使うわけではありませんが、伝えたいメッセージは同じです。

　自分のアイデアと似ているもの、あるいは同じような理念をもっているものを見つけることをおすすめします。問題意識の向上をはかり、それが問題であることを人々に知らせ続けましょう。

　なお、製品の詳細を全公開する前に、知的財産を確保するため、特許を取得できるかどうかを調べましょう。特許弁護士に依頼してもいいし、自分で特許調査をしてもいいでしょう。まずは仮特許を出願しておき、次のステップが明確になってから通常の特許を取得するための資金調達を行うこともできます。はじめて特許を出願する人は、徹底的に先行技術を調査し、何人かに自分の出願書類を見てもらい、できるだけ明瞭に書くようにしてください。

ひとくちアドバイス!

自分が何のためにコミュニケーションしたいのかを理解したら、「伝える」の章で紹介したヒントを参考にして、聴衆に合わせてメッセージを調整し、伝えることに挑戦してください。

　認知度を高める方法はいくつかあります。私が試したことがあるのは、以下の方法です。

・ブログや動画ブログ：目的を同じくする組織を探しましょ

う。最近の例でいえば、私はユニセフと提携して、インターネットの安全性についても啓発するという形で、サイトにカインドリーの宣伝を掲載してもらいました。YouTubeに動画を投稿するのもいいでしょう。

- **イベント開催、イベント参加**：発表イベントを企画し、利用者からのフィードバックを求めます。イベントに必要な資金や宣伝資材を得るために、奨学金に応募してみましょう。

- **記事投稿**：子ども向けの雑誌に記事を投稿すると、掲載される可能性があります。地元の新聞やニュースにも投稿してみてください。

- **学校の集会やワークショップ**：学校の先生にお願いして、クラスや学年集会でアイデアを伝える時間をもらいましょう。

- **地元のSTEMクラブ**：私はショッピングモールにある地元のマイクロソフトストアに連絡をとり、DigiGirlzのイベントで私のアイデアを紹介させてもらいたいと依頼しました。DigiGirlzとは、男性の多い分野に女の子が参加するのを支援する女子中高生向けのITワークショップです。あわせて、女の子に向けて3Dプリンターに関するワークショップイベントを行いました。ボーイスカウトのプログラムであるSTEMスカウトは、全米各地でさまざまなワークショップを実施しています。ここはお願いすれば、イベントプログラムに関わる機会が得られるすばらしい場所です。小学生を対象としたワークショップを主催したり、中学・高校のSTEMスカウトの講座に参加してさらに知識を深めたりすることができます。

これらはほんの一例です。他にも認知度を高められるクリエイティブな方法はたくさんあります。ソーシャルメディアの世界についても説明しましょう。

ソーシャルメディアによる認知度アップ

　両親は、私がソーシャルメディアに費やす時間を記録するようにしています。制限時間は1日1時間。両親は私にひとつのルールを課しています。ソーシャルメディアに時間を費やすのであれば、「いいね！」の数に自分の価値を見出すのではなく、新しいことを学んだり、自分のメッセージを広めたりするために使いなさいということです。メールや電話についても同様です。実は、週末や夏休みにルールを緩和してもらったことがあるのですが、ソーシャルメディアは適切に使わないとすごく気が散るということに気づかされました。ほんの15分ほどチャットをながめるつもりが、気づいたら2時間もどうでもいいおしゃべりをしてしまっていたのです。

　私が目にしたソーシャルメディアのエチケットで、参考になったものをいくつかご紹介しましょう。

・人の支えになろう。自分を支持してくれる人をたたえよう。
・いいことをいえないなら、何もいわないこと。
・友だちと意見が合わない場合は、公開の場ではなく、非公開でやりとりする。
・地位や富と違って、誠実さや思いやりは一生もの。

ソーシャルメディアやメールを利用する際、他者を尊重し、親切にふるまうという自分の務めを果たすのに役立ってきた、ひとつの合言葉があります。自分が発信するメッセージをCLEAR（明確）にするにはどうすればいいか、見てみましょう。

C—Clean?（汚い言葉を使っていませんか？）
L—Lucid?（わかりやすいですか？）
E—Edited?（ちゃんと推敲しましたか？）
A—Agreed?（同意が得られるものですか？）
R—Respectful?（他者を尊重する態度ですか？）

　私が作ったこの合言葉は、ネットに投稿すべき内容かどうかをできるだけ簡単にチェックできるようにまとめたものです。この合言葉を使って、自分が送ろうとしているメッセージがC.L.E.A.R.であるかどうかを必ず確認することをおすすめします。

　Clean…メッセージの中で、だれかを傷つける可能性のある不適切な言葉を使っていないか確認してください。
　Lucid…わかりやすいですか？　いいたいことがうまく表現され、誤解をまねく表現がないことを確認できましたか？
　Edited…意図した内容が正確に伝わり、無意識のうちに人を傷つけたりしないよう、メッセージを推敲しましょう。見直しても損をすることはありません。
　Agreed…できれば自分のコメントをひとり以上の人に見てもらい、意見をきくようにしてください。それができない場合

は、自分のメッセージを読んでいる親友を想像してみてください。

　Respectful…一番重要な項目です。最終チェックをしましょう。あなたのやさしさは、メッセージに表れていますか?

　私はこの合言葉で、ひとことひとことを大事にして送信しているかどうかを確認できるようになりました。
　さて、この項を執筆した真意は、ソーシャルメディアというプラットフォームを使って認知度を高めるテクニックをお伝えしたいということにありました。どうすれば、メッセージを大勢の人に届けることができるのでしょう。ソーシャルメディアのインフルエンサーやアクティビストは、受け手の心を動かすことで大きな影響力を生みだしています。巻末の「情報源」（228ページ）で紹介しているサイトから、ソーシャルメディアを活用して認知度を高める方法をさらに学ぶことができるので、チェックしてみてください。

第 10 章

コンテストに出る

「イノベーションとコンテストに何の関係があるの？」と思われた方もいるかもしれません。それはもっともな疑問です。事実、私もそのような疑問をもつところからスタートしました。でも今ではコンテストが私にとって、そして自分のプロセスとアイデアにとってどれほど価値があるかを実感しています。競争によって、アイデアにはずみがつき、容赦ない締め切りに追い立てられるようになります。その過程で否応なくアイデアがみがかれ、よりよいものになっていくのです。

　私が6、7年前から一番恐れていたのは、失敗でした。どのような形にせよ、失敗したら、私は穴の中に落ちこんでしまい、穴から出てもう一度挑戦したいとは思えなくなるのです。それは、前述した「リスク」のひとつです。失敗したり負けたりするのがあまりに恐ろしいので、それらをさけるためには、挑戦しないでただ流れに身を任せるのが一番だと思ってしまいます。もしあなたもそうなら、その気持ちはとてもよくわかります。失敗を受けとめるのがどれほどつらいか、一巻の終わりだと思わずにいるのがいかに難しいかを、私はよく知っています。この恐怖のひとつに、コンテストがありました。私はそのようなリスクをとるのが心からイヤでした。率直にいえば、落選する可能性が高いし、そんな経験をしたくなかったからです。

小学2年生のとき、両親に説得されて作文コンクール（これもリスク）に応募しましたが、まったくやる気がありませんでした。文章を書くのは大好きだったけれど、コンテストは好きではなかったからです。両親は「きっと気にいると思うから、出すだけ出してみて」といい続けました。さんざん考え、おだてられ、ためらったあげく、私は一番出来のよかった『さよなら、「いい子」の魔法』（ゲイル・カーソン・レヴィン著, 三辺律子訳, サンマーク出版）の読書感想文を提出しました。今思えば最高の出来とはいえませんでしたが、おどろいたことにコンテストで2位に入賞したのです。あのときのチャレンジがなければ、競争することの大切さや楽しさに気づかないままだったでしょう。

コンテストに出る理由

　サイエンスフェアなどのコンテストに出るのは、自分の研究に対するフィードバックをもらって、改善につなげられるすばらしい手段です。締め切りが課せられることで、モチベーションも向上します。解決策を作り、それを広める創造的な方法を生みだすことを夢見ていても、単調な作業がはじまったとたん先延ばしにしてしまい、目先の学業に追われて自分のプロジェクトはほったらかし……というのはよくあることです。でもコンテストには締め切りがあり、逃れられない終了日を作ることになるため、優先せざるを得なくなります。
　競争をすると決めたなら、コンテストの大小は関係ありません。高額な賞金や高い評価を勝ちとるために競争したいという

人も多いでしょうが、個人的には、小さめのコンテストからはじめて自分の作品を広めるのがよいと思います。小さめのコンテストでは、大きなコンテストのようなプレッシャーを感じることなく、解決策の伝え方や、今ある問題に意識を向けさせる方法について、考えをまとめることができるからです。コンテストへの参加は、同年代の研究をチェックし、そこから学ぶチャンスでもあります。次回の参加に向けて、自分の研究をよりよくすることもできるでしょう。

ひとくちアドバイス！ 何かにワクワクする一番の方法は、ワクワクを継続（けいぞく）すること、先延ばししないことです。あと1週間しかないからもう何もできないと思ってしまうと、ワクワク感が冷めてしまいます。1週間しかなくても、できることはあります！ひたすらモチベーションを維持（いじ）し続けてください。

それでは、コンテストに参加するにはどこからはじめればいいのでしょう？　以下は私が経験から得た指針です。

・興味のある分野をリストアップし、動画、論文、パワーポイントなど、どのような形式で発表したいか考えてみましょう。
・巻末の「情報源」、もしくはグーグルを利用して、興味のある分野のコンテストを探します。たとえば私が昨年、道

路の建設方法や交通管理、信号などについて深く学びたいと思ってググってみたところ、ARTBAの学生交通ビデオコンテストが見つかりました。コンテストに参加する過程で、地域の交通局長にインタビューして、新しいことをたくさん学べました。そんなふうにして、現時点であなたがやりたいことを見つけましょう。

・学年のはじめや年頭に、参加したいコンテストを優先順位の高い順にリストアップし、それぞれの締め切りや応募形式を把握しておきます。参加すると決めれば、勝負の半分は決まったようなものです。保護者や先生方も、お子さんが心を決められるよう力ぞえしてあげてください。巻末の「情報源」（228ページ）の「助成金や奨学金を得るための情報源」一番上のリンクに、コンテスト情報がまとめられています（訳注・日本から参加できるコンテストについては、230ページからの日本版情報源をごらんください）。

・ひとりで参加するか、チームで参加するかを決めましょう。今後の展開はここからはじまります。

資金調達と助成金

　イノベーションのプロセスでは、材料に使える資金を得られるかどうかで明暗がわかれます。材料は決して安いものではなく、本気で続けるなら資金が必要です。たとえば、鎮痛薬オピオイド依存症の研究では、オピオイド受容体遺伝子OPRM1に特異的な抗体など、実験に必要な材料に、だいたい200〜300ドルほどかかりました。最初に助成金を受けとれるコンテスト

もたくさんありますし、それはプロジェクトでも同様ですが、一番いい資金調達法は、アイデアを他の人にアピールすることです。女性のためのリーダーシップ会議「メイカーズ・カンファレンス」に招待されたとき、ベンチャーキャピタリストのアン・ミウラ・コーさんが、私をステージに呼び、資金調達をお願いするようにすすめてくれました。その結果、女性起業家を支援するフィメール・クオーシェントの創業者が、私の製品に多大な投資をしてくれたのです。この投資のおかげで、特許を申請し、より多くの材料をそろえられ、製品を評価してくれるパートナーが現れるまで研究を続けることができました。

　自分がはじめたとりくみを支援してもらうために資金を求めることには、今でも抵抗があります。でも、ほかに選択肢はないのです。研究をするために1回のテストに500ドルを費やせる人ばかりではありませんし、国内有数の研究室にあるような材料を使える人は、そう多くありません。

　解決策を実装しようと思ったら、支援してくれる助成金を探しましょう。228ページの一番下に掲載している「The Davidson Gifted」というサイトに、社会のためになる活動をしている学生のための奨学金や助成金のリストが掲載されています。あなたのとりくみの内容によっては、役に立つかもしれません。

　もうひとつの資金調達手段は、多くの都市に組織があるスタートアップ・アクセラレーター（訳注・イノベーションを通じて社会を変えるために起業したスタートアップ企業がビジネスを拡大できるよう、資金投資やノウハウなどをサポートする組織）にアイデアを売りこむことです。私はまだこの手段で成功したことはありま

せんが、カインドリーをグローバルに展開しようと試みています。

他者との共同研究

　コラボやチームでのプロジェクトは、うまくやれば効果をあげることができます。特に競争して複数のアイデアを発展させたいなら、その効果は絶大です。チームでアイデアを出し合ったり研究したりするのは、私も大好きです。しかしスケジュールの都合や他との兼ね合いもあり、チームメンバー全員が満足するペースやスケジュールで研究を進められるわけではありません。そのため、共同作業にこだわることなく、自分のスケジュールをよく見て、チームに参加するべきか単独で進めるべきかを判断しています。

　自分の時間に合わせて参加を決めたのだとわかっていれば、あとは集中できますし、自分含め全員のアイデアを存分に実行に移すことができます。私は今、自分の共同研究の進め方をもっと向上させることにとりくんでいます。私が身につけたいのは、他の人と効率的に研究するスキルです。やるべきことと予定を決め、全員が何らかの役割を果たせるようにチームをリードできるようになりたいと思っています。

　とはいえ、「全員が」というのは至難のわざです。バリバリ研究するのが好きで、完璧主義者で、なるべく早く終わらせたい私のような人間にとって、イノベーションが最優先ではない人たちとチームを組んだり、一緒に仕事をしたりするのは大変です。もし彼らが期待に応えてくれなかったら、作業をフォ

ローアップしたり、もっと協力してほしいとお願いしたり、グループを維持したりといったことに、精神的に疲れてしまいます。私はチームの対等なメンバーとして、チームとその目標を管理するのも自分の責務であると思うように心がけてきました。必要があれば私は上の立場に立って他人に任せ、各メンバーにタスクを明確に割りふり、チームが協力して作業するための時間をあたえるべきだと思っています。

　共同研究をするかどうかをあなたが選べるよう、共同研究の長所と短所のリストを作成しました。短所のリストには、共同作業の短所をうまく補うコツも用意しています。本当に役に立つと思うので、ぜひみなさんにもお伝えしたいです。

共同研究の長所

- 複数の視点からよりすぐれたユニークなアイデアが得られる。
- プロジェクトの各要素やイノベーションの設計に対するフィードバックが得られる。
- 作業が均等に配分されれば、作業量が減少する。
- チームワーク、気軽にコミュニケーションをとれる環境、次のステップに進むときのワクワク感。
- やる気と楽しさが向上する。
- 各メンバーがチームの期待を裏切るまいと高い責任感をもつようになる。

共同研究の短所

よくある落とし穴	短所を補うコツ
みんなの意見をきかないといけない。	Googleドキュメントをひとつ用意して、全員の視点と才能をとりこめるようにアイデアをすり合わせる。
全員がちゃんと働き、期待に応えられるわけではない。	グループ内の契約書(けいやくしょ)を作ったり、チームビルディング(訳注・関係性を築くことを目的とした、ゲームやワークショップなどの活動)のような楽しいことをしたりして、信頼(しんらい)と共感を築き、おたがいへの期待を高める。
先延ばしグセがつく。	Googleドライブに共有フォルダか共有ノートを作成して、スケジュールや目標を設定し、計画どおりに進むようにする。計画に遅れが生じたら、遅れをとりもどす緊急(きんきゅう)手順を講じる。また、全メンバーのためのごほうび制度を用意してみる。例:来週の火曜日までに目標1を達成したら、みんなで脱出(だっしゅつ)ゲームにいく。
他に優先することがあり、チームメンバーが会議や共同作業に参加できない。	カレンダーやGoogleドライブのフォルダにミーティングの時間を設定しておき、全員が参加できるようにする。参加できない人には、ミーティングの議事録とやるべきことを伝える。
すべてがうまくいっていないのに、チームメンバーに他の優先事項(じこう)があってタスクを達成することができない。	オープンに話し合って相手の意見を理解し、率先してフォローアップを行う。それでもうまくいかない場合は、第三者メンバーをまじえた仲間内でのオープンな評価をチームメンバーに要求する。だれが貢献(こうけん)しているかを率直に検討し、チームもろとも失敗しないためには、貢献していない人をチームから外さなければならないことをチームメンバーに知らせる。

チームでとりくみたいのか、個人で挑戦したいのか、考えを深めるのに役立ててもらえればと思います。私は長所と短所を改めてながめた結果、チーム作業をもっとふやそうという気になりました。

ひとくちアドバイス！

これからは、さまざまな才能をもった人たちがコラボレーションして問題解決にとりくむ時代になっていきます。誤解しないでほしいのですが、コンテストに応募するときに必ずしも同じ学校の生徒とコラボレーションする必要はありません。けれどもイノベーションをおこすときは、他の人とのコラボレーションが必須になるでしょう。

　チームで作業する場合の、適切なチームメンバーの選び方を紹介しましょう。たとえば、アビー、ジョン、ベラという3人の友人がいるとします。3人はそれぞれ異なる人格の持ち主です。

「私はアビー。作業するのはあまり好きじゃないな。グループでの課題やプロジェクトは自分があまり作業をしなくていいから大好き。アイデアを思いつくのは好きだけど、ただ作業をしたくないってだけ。だれかに何かを頼まれるまで待ってる。作業をしているふりをして、ぎりぎりになったら

自分が忙しいって知らせるつもり」

「僕はジョン。本当は他のプロジェクトを手伝ってあげたいけど、なかなか時間がとれないんだ。それに思っていたよりもずっと大変なことだとわかったから、途中で抜けて手を貸すのをやめることも多いよ。土壇場になったら、必要とされているだけの貢献は最低限する。最大限の努力をしようとは思わない」

「私はベラ。作業は大好き。ふだんはすべてのチームを私が仕切ってるの。でも、いったからってすぐにだれかが何かしてくれるわけじゃないし、イライラして結局自分でやっちゃう。メンバーが貢献していないことをみんなに知らせる勇気はないから、自分はとにかく作業して、メンバーの名前を参加者欄に入れとくかな」

　さて、アビー、ジョン、ベラの3人は、チームへの参加の仕方について、それぞれ異なる考えをもっているようです。この3人を見る限り、アビーは作業がまったく好きではなさそうだし、ジョンは最初は意欲的でも最後はやる気が失せているし、ベラは中心となって働くけれど他の人に協力するチャンスをあたえず、アイデアにおいて妥協しそうもありません。
　率直にいえば、私はその時々の考えで、アビーになったり、ジョンになったり、ベラになったりしてしまったこともあった

かと思います。その上で、自分がチームの一員だったらこうあるべきだという理想像に気づいたのです。たとえば、ボブみたいな人間のことです。

「僕はボブ。学ぶことと働くことが大好き。ときにはやる気が出ないことも、チームにいるのがいやになることもあるけど、みんなが頼りにしてくれていると自分にいいきかせて、やり通すことにしている。リーダーであることはすばらしいことだと思っているし、リーダーになれるよう努めている。でも会話をひとりじめしたくないから、みんなの意見をとりいれたいと思う。スケジュールの都合でよいチームメンバーになれない可能性のあるときは、率直に伝える必要があると思う。自分が貢献できなくても、チームが危機にさらされないようにね。他の人の期待に応えられなかった場合は、エントリーから自分の名前を削除しなくちゃいけない。参加すると約束したからには、時間を見つけるのは自分の責任。自分がみんなにとって役に立つチームメンバーであると信じてる」

　そのとおり、ボブ！　私から見ると、これが理想のチームメンバーです。チームの一員になるときは、ボブのようにふるまうことを目指しています。みなさんも、ボブのような人を見つけてチームに引きいれ、どんなチームにおいてもボブのようになることをおすすめします。
　共同研究における最後の心得として、心理学者のブルース・

タックマンが提唱した、共同作業の4つの発展段階（タックマン・モデル）についてお話ししたいと思います。これは、私がチームでとりくむときに肝に銘じていることです。これを知っていると、最初からすべてがうまくいくことはないし、すばらしい成果を生みだすチームになるためにはしかるべき流れというものがあるのだということを自分にいいきかせることができるのです。

- 形成期（Forming）…チームが結成されたばかりでおたがいが様子見をしている時期
- 混乱期（Storming）…意見のぶつかり合いが起きて混乱する時期
- 統一期（Norming）…混乱を乗りこえ、共通認識や各自の役割が生まれる時期
- 機能期（Performing）…チームが機能して成果が生まれる時期

これは、チームとは作ればすぐ機能するというものではなく、さまざまな混乱やぶつかり合いを経て理想的に機能するものであるということを示したモデルです。特にグループで議論するときは、チームが発展するにはこのような筋道があるのだということを念頭においておくとよいでしょう。ここでは、共同作業の各段階について、私の主観で説明します。

- 形成期（Forming）…みんなに会えてうれしいけれど、どうすればいいのかわからない。

- 混乱期（Storming）…自分たちが何をやっているかはわかってきたけど、他の人のアイデアがすばらしいとは思えない。
- 統一期（Norming）…あ！　みんなのアイデアを組み合わせて役割を決めればいいんだ。
- 機能期（Performing）…チームプロジェクトは大成功。最後は私たち、すばらしい協力関係を築くことができたよね。

　共同作業にぶつかり合いはつきものだということは、肝に銘じておいてください。共同作業を、すでに完成したパズルだと考えないでください。共同作業は、これから組み合わせなくてはいけないパズルです。パズルを完成させるために、それぞれが有意義な役割を果たすべきだと考えましょう。

　だれととりくみたいかがはっきりすれば、よいスタートを切ることができます。次は、コンテストに向けて素材を準備する方法について説明します。

コンテストで優位に立つ

　とにかく、まずは早めに着手しましょう！

　口にするのは簡単ですが、これが一番難しいところです。早めに準備をはじめれば、ルールの把握やウェブサイト全体のチェックに時間を費やせます。早めに申し込みフォームに記入したり、人と話したり、FAQ（よくある質問と答え）を読んだり、過去の受賞作品を参照したりして、コンテストについて知ることもできるでしょう。

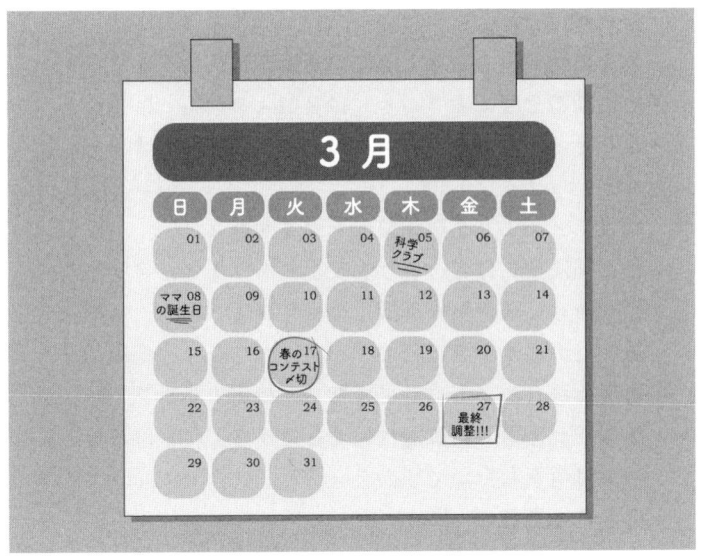

　続いてはアイデア出しです。身のまわりの問題点を探し、どんなテーマで参加したいかを決めます。個人的に感じたのは、コンテストは単に参加するだけではもの足りない体験に終わるということです。自分の限界に挑戦してこそ、コンテストに出る価値があると思います。限界に挑戦すれば、学びにつながります。夢は大きく、不可能を夢見ましょう。たとえ自分の作業量では不可能だとわかっていても、大きな夢を抱いてください。きっとそれは可能であるはず。自分に制限をかけているのは、自分の心です。

　次に、包括的なレポート、動画、その他の提出物を検討しましょう。必要なのは次のような項目です。

- 自己紹介<ruby>しょうかい</ruby>
- あなたが解決しようとしている問題は何ですか？
- その問題を考えるきっかけは？（もしあれば）
- なぜそれが今とりくむ必要のある問題なのですか？（ここでは統計がカギになります）
- 現状、どのような解決策がありますか？
- その解決策にはどのような欠陥がありますか？
- なぜ新しい解決策が必要なのですか？
- あなたのアイデアは何ですか？　どういう仕組みですか？
- あなたがこれまでにしてきたことは何ですか？
- あなたが直面した課題は何でしたか？
- 将来は何をしたいですか？
- 商品化の計画
- あなたのビジネスモデルは何ですか？
- あなたやあなたの制作物について、何を見ればもっと知ることができますか？
- チームメンバーやメンターなどへの感謝の言葉
- 参考文献

　長くなりましたが、自分のアイデアにあてはまる項目について考えていくことで、どんなコンテストの申し込みにも使えるすぐれたフォーマットができあがります。これは、上記のフォーマットを使って私が書いたカインドリーの簡単な紹介文です。

自己紹介：こんにちは、私の名前はギタンジャリ・ラオで

す。科学技術を使って現実社会の問題にとりくみ、革新的な方法で解決することが大好きです。

問題：ネットいじめは、世界中の10代に影響をあたえる大きな問題です。

考えるきっかけ：何度も転校したことのある人間にとって、ネットいじめへの恐怖は常に他人事ではありません。

統計：18歳以下の5人に1人が過去1年間にネットいじめを経験しているという報告があります。

現状の解決策と欠陥：現状の解決策は、いじめ表現辞書を用いるものが中心で、いじめっ子を罰することが当面の目標となっています。

解決策の必要性：より現状に合った、処罰を伴わない解決策が必要です。

私のプロジェクト：私の解決策「カインドリー」は、ネットいじめ防止の世界に変化をもたらすことを目指しています。最新のAIを活用して、世界中の学生が安心して学校に通えるように支援します。カインドリーはスタンドアロンのアプリ、Google Chromeの拡張機能など、さまざまなプラットフォームで起動可能です。また、罰をあたえるのではなく、いじめっ子に考え直す機会をあたえるものです。

これまでにしてきたこと：これまでのところ、フロントエンド（訳注・アプリの中でユーザーに可視化されている部分）を制作し終わり、5月2日にカインドリーを正式リリースしました。

今後の予定：将来的に、自分の学区にカインドリーを導入して、基幹学習管理システムと並行して活用されることを期待しています。

もっと知りたい場合：カインドリーについての詳細は、kindly.godaddysites.com をご覧ください。

感謝の言葉：お時間をいただきありがとうございました。ご質問があれば、よろこんでお答えします。

ふう！　これで発表内容の骨子を書き終わりました。ここから肉づけしていき、どこでどれだけの作業が必要なのかを確認します。それから、コンテストの参加を計画しはじめましょう。いきづまったら、メンターや先生に指導をあおいでください。私が2019年にサイエンスフェアにエントリーしたときは、OPRM1遺伝子を有する酵母株などの適切な材料を手に入れておらず、いくつかの実験を計画に含めていたため、結果が出ていませんでした。私のメンターであり専門家であるマクマリー博士は、他の研究室から材料を入手するのに手を貸してくださると同時に、結論を推定するために別の酵母株で実験をシミュレートしてくれました。答えが全部そろっていなくてもかまいません。でも、別の方法を見つけましょう！

ひとくちアドバイス！

応募にあたってどのような媒体（レポート、エッセイ、動画など）を選ぶにせよ、その中でやりたいようにやってください。前述のとおり、クリエイティブであれ、です。私は自分の解決策「サーモグラフィを使ったヘビ咬傷検出ツール」を紹介する動画の中で、ヘビと一緒にエンディングを飾ったことがあります。最高でした！

最 終 段 階

応募作品を推敲し、すべてのルールにしたがっているかを確認しましょう。質疑応答がある場合は、必ず準備しておいてください！　これはあなたの作品で、他ならぬあなたが納得していなければ、他の人を納得させることはできません。最終稿の状態になったら、メンターやコンテスト指定の専門家、両親に見せて意見を求めましょう。

ひとくちアドバイス！

私はずっと、フィードバックを求めることを恐れていました。やることがふえると思っていたからです。バカみたいにきこえるでしょうが、本当です。締め切りが近づくと、心配で頭がいっぱいになってしまうのです。でも「作業がふえる」という考えを打ち捨てて、質の向上と学びのために他の人の意見を参考にしたほうが、ずっと気が楽になりました。

提出期限まで待つ必要はありません！　応募しちゃいましょう！　さあ、アイスクリームでも食べて、コンテストのことは忘れて……まあ、完全に忘れるのは無理ですけど。

　せっかく時間と労力をかけて、すごいアイデアを思いつき、コンテストのために応募フォーマットを完成させたのですから、その成果を無駄にすることはありません。整理して適切なフォルダに保存するか、ウェブサイトを作成して認知度を高めましょう。リストの中から次のコンテストを選び、その作品の改良版を提出可能かどうか確認してください。可能なら、応募の準備をはじめましょう。すぐに自分が本格的な解決策をすでに我がものとしていることに気づくでしょう。

　学校の授業やクラブ活動と組み合わせるという手もあります。マーケティングの授業やDECA（訳注・Distributive Education Clubs of America、ビジネスリーダー育成プログラム）などのクラブでマーケティングプランを考えたり、FBLA（訳注・Future Business Leaders of America、次世代リーダーを目指す学生組織）に所属しているならビジネスモデルを考えたり、スピーチ＆ディベートクラブでプロジェクトについてのスピーチを準備したりしてもよいでしょう。そのようなクラブに所属していない方でも、心配いりません。先生の許可を得て国語の授業で自分のプロジェクトについての小論文を書く、理科の実験に自分のアイデアをとりいれる、というのもありです。ひとりでは心もとないなら、自分の学校でアイデア作りに特化したクラブを立ちあげてもよいでしょう。

　何をするにしても、自分の作品を改善する方法を考え続けてください。記事を書くなどして、問題に関心をもってもらう方

法を考えましょう。コミュニティの問題解決のため、あるいは少なくとも他の人に行動を促すため、自分ができることを探すのです。

　競い合うことで、作品の質、編集技術、時間管理術、企画力などが向上すると私は考えています。受賞するかもしれないし、受賞しないかもしれない。それでも、応募しなければ、絶対に受賞することはありません。リスクはとるべきです。コンテストに落選したり、敗退したりする口惜しさはよくわかります。今までの努力が水の泡になるのは、決して楽しいことではありません。けれどリスクをとったとしても、あなたがするのは成長のみです。いつかは正当な評価を得られるときがくるでしょう。それは本当に感動的で、やる気がみなぎる瞬間です。

　さて、そろそろ締めくくりましょう。今こそ、参加したいコンテストをリストアップするときです。

ボードや三つ折りパネルの作成と準備

　コンテストに出るとなったら、ポスターボードや三つ折りパネルを作成し、質疑応答の準備をする必要があるかもしれません。地域のサイエンスフェアでは、自作の三つ折りパネルを用意して、自分の研究テーマについて観客に説明します。さらにくわしく知ってもらうため、審査員による面談・質疑応答が行われます。

　私の場合、黒のフォントで書かれた内容を強調するために、淡いブルーやグレー、グリーンなどの目にやさしい背景色を使ってボードを作りはじめることが多いです。本文の文字サイ

ズは16ポイント以上、タイトル文字は太字で32ポイント以上のフォントを使用するなど、シンプルなルールにしたがうのが好みです。

　私は審査員にわかりやすいように、専門外の人向けの概要サイドボードを作成することもよくあります。自分の研究がいくつかの仮説で構成されている場合は特にそうします。私の場合、「アブストラクト（要旨）」という言葉はさけ、「イントロダクション（序文）」という言葉におきかえることが多いです。というのも、国際学生科学技術フェア（ISEF）のルールでは、ボードに載せるアブストラクトは認証スタンプつきのものでないと、失格になる可能性があるときいたからです。ボードへの名前の記載に関するルールがサイエンスフェアによって異なるため、私はボードに自分の名前は記入しません。写真やその他参考資料は、ちゃんとクレジットや出典が記載されているかどうかを再確認します。

　どのコンテストでも共通していえるのは、三つ折りパネルやその他もろもろのボードを用意するために、少なくとも1週間は見ておくということです。印刷、貼りつけ、最終的なボードの仕上げのための時間を確保しましょう。中学生までは、プロトタイプの写真、パワーポイントのスライドの説明文、テスト結果などを別々に印刷して、三つ折りパネルに貼りつける方法をとっていました。これも悪くはありませんが、形がバラバラだったりしばらくすると接着剤がはがれてしまったりして、少しまとまりがなく統一感に欠ける印象でした。高校生で参加した昨年は、三つ折りパネル全体の内容をDTPソフトで作成し、ボードごと印刷サービスでプリントすることで、よりプロ

フェッショナルな仕上がりにしました。地域や利用できる設備にもよりますが、単純な経験則として、三つ折りパネルはプロジェクトや研究を裏づける内容を充実（じゅうじつ）させることを重視し、シンプルかつきれいに仕上げるのがよいでしょう。三つ折りパネルの内容をまとめることに、あまりエネルギーを費やすべきではありません。

　質疑応答に備えるにあたり、研究や実験、テストの結果を理解しておくのはもちろんですが、以下の項目（こうもく）も考えておいてください。

- その研究やプロジェクトの将来性は？
- 何がよかったと思いますか？　課題はどこですか？
- どこで失敗し、そこから何を学びましたか？
- 研究を完成させるまで、どのようなプロセスをたどりましたか？
- その研究は地域社会にどのように役立ちますか？　どのような問題を解決しますか？
- もう一度やるとしたら、どのあたりを変えますか？
- あなたを指導したのはだれですか？　どのような指導でしたか？

時間管理

　私がよくきかれるのは、学業に追われながらイノベーションに費（つい）やす時間をどこで確保しているのかという質問です。これは大変ですが挑戦（ちょうせん）しがいのある問題です。私の時間管理能力は常に進歩しています。私はtodoのリストを作るようにしていますが、学校や学業の都合でリストの中身は日々変わります。研究活動の完成にはもっぱら、週末や金曜日の放課後を使っています。私の学校では、パンデミック以前からバーチャルフライデー（訳注・金曜日を在宅学習の日にするという、アメリカの一部の高校が試験的（じっし）に実施している制度）が選択（せんたく）できるようになっていたので、金曜日にやりたいことを仕上げていました。中学生のころは移動が多く、学校は休みがちでした。水質への関心を高めるためあちこち飛びまわりつつ、宿題はフライト中に終わらせていました。

　学業と両立する最大のコツは、許可やくわしい説明を求めてとにかく質問することです。多くの学校、先生、校長先生は、あなたの質問によろこんで答えてくれますし、学校生活がすごしやすくなるようにとりはからってくれるでしょう。多くの学校では、生徒がしていることとその理由に明確な目的があれば、休みを受けいれてくれたり、提出期限を延長してくれたりするはずです。私が小学4年生のときは、STEMスカウトのワークショップに参加するため、15分だけ早退させてもらえるように先生と交渉（こうしょう）しました。最後の15分間は遊びと帰りの支度の時間だったからです。優先順位を意識すればするほど、

時間管理が楽になり、先生を説得しやすくなります。

　私が守ることにしている、たったひとつの原則があります。それは「コミットメント（責任）」です。何かについてだれかと責任をともなう約束をしたら、そこからはなれるのは困難です。私はなるべく、コンスタントに作業するようにしています。90％の時間は、自分に責任のあることに従事します。でもどうしても、うまくいかない10％が発生します。何か別の問題がおきてやるべきことが遅れたり、明確なコミュニケーションがとれなかったりするためです。私は時間管理を完璧にこなせているとはいえませんが、日々成長し、多くのことを学んでいます。そして私たちひとりひとりが、時間管理をうまくできるようになると確信しています。もし私が、2週間で1曲を仕上げるつもりだと早めにピアノの先生に伝えて、次のピアノレッスンへの準備を責任もって約束すれば、私はその曲の練習に集中し、時間をうまく使うことができるのです。

　できないと確信していることや、自分の目標に合わないことは、たとえ参加したいと思っていても断ってしまうことがあります。興味はたくさんあるので、いくつかの部活に入部したい気持もあったのですが、入部する代わりに必要とされたときにお手伝いすることを選びました。たとえば、私の学校には、他の生徒がはじめた全米科学優等生協会（Science National Honor Society）があります。志を同じくする人がたくさんいそうだし、このクラブの一員になりたいのはやまやまです。でも時間的な制約があるため、学校のサイエンスフェアのコーディネーターと協力しつつ、サイエンスフェアの準備のしかたや三つ折りパネルの形式、締め切りなどの情報を教えるといった支援に

とどめています。団体はほしい情報を得ることができ、私も彼らに関わることができるというwin-winの関係です。

　毎年夏になったら、私は重点的にとりくみたいことの優先順位リストをつけた年間予定表を作り、なるべくそれを守るようにしています。私たち姉弟は、誕生日に「自分の時間を使って何をしたか」「自分の名前で何をしたか」というテーマで作文を書きます。6歳のときに読んだ『Grandfather's Gold Watch（おじいさんの金時計、未邦訳）』という本の主人公も、同じような作文を書いていました。最近になって、この質問の価値がわかってきました。答えを書きだす過程で、自分が何をしてきたのか、何にとりくみ続けられるのかということをふり返ることができるからです。

　夜遅くまでぶっ通しで作業する日もあれば、何もしないで休むだけの日もあります。ダラダラしてしまう日もあれば、ひたすら計画や整理をする日もあります。だれにでもあてはまる完璧な解決法はないので、守るべき指針は自分で見つける必要があります。人によって、それは勤勉さかもしれませんし、誠実さ、正直さ、無私の精神という場合もあるでしょう。何を選ぶにせよ、それを一貫して守っていれば、時間管理の技術はおのずと向上していくと信じています。なぜなら、自分の本来の優先順位、もてる時間の中で重視すべきことをすでに理解しているからです。

■ おすすめのコンテスト

■ 東芝エクスプローラビジョン（Toshiba ExploraVision）

　幼児から高校生までを対象とした科学技術コンテスト「エクスプローラビジョン」は、次世代がSTEMに重点をおいた現実的な問題解決策に関われるコンテストです。参加を通して、サイトを制作する、ユーザーストーリー（訳注・ユーザーが実現したいことやユーザーにとって価値があることを簡潔にまとめた文章）を作る、レポートを書く、ハイレベルな解決策を作る、チームで作業するといったことがどんなものか、つかむことができます。やりがいがありますね！

　私は小学2年生から中学2年生にかけて、ずっとこのコンテストに参加してきました。ファイナリストに残ったことはなく、ここ数年選外佳作に選ばれたのみです。でもこのコンテストの準備をする過程で、問題の探し方や大きな夢の描き方について、だいたいのところがわかるようになりました。私はいつも、このコンテストでは不可能なことを夢見て、解決策で本当に実現可能なことは何かを逆算して検討しています。このコンテストに参加したことで、解決しようとしている問題の歴史、活用しようとしている技術について学ぶことができました。おかげで、問題と解決策をより深く理解することができたのです。コンテストの一環で、最新テクノロジーも学べます。私はさまざまなセンサー、バーチャルリアリティ、水中でのレーザー通信、光の特性、遺伝子編集などの発表を見ることができ

ました。

　今は、このコンテストに挑む弟のチームのメンターをやっています。最初の年は、センサーについてチームが知っておくべきことをすべて紹介しました。次の年にはAIについて伝えました。彼らのアイデアは非常にレベルの高いものでしたが、そのためのAIの使い方についてちゃんと知っていました。今年紹介したのは、圧電素子を用いたバイオセンサーです。

■ フューチャー・エンジニアズ（Future Engineers）

　幼児から高校生までの生徒を対象に、宇宙用の3Dデザインを募集するコンテストです。数年前から応募フォーマットが変わって小規模になったものの、楽しいコンテストです。自分に課せられたシンプルな課題を解決するのがおもしろいのです。私は宇宙や宇宙飛行士のための道具を3Dでデザインしましたが、それが3Dプリントの世界への第一歩となりました。いまだに3Dプリントに精通しているとはいえませんが、シンプルな保護カバーを作ったり、簡単な装置を設計したりするくらいの知識は当時からありました。ある年には、宇宙飛行士が宇宙で歯ブラシとして使える簡単な道具を作り、またある年には惑星探査でサンプルを採取するための簡単なマルチハンドツールに挑戦しました。私はこのコンテストの賞品としてもらった3Dプリンターを使って、小学生向けの3Dプリンターワークショップを開催しています。

■ エンジニアガール・ライティングコンテスト
（EngineerGirl Writing Contest）

　このコンテストは私にとってもっとも難しいものでしたが、書くことに挑戦するきっかけになりました。私は絵を描いたり、設計したり、組み立てたりすることはできましたが、学んだことをわかりやすく簡潔に書くことは苦手でした。挑戦を後押ししたのは、課外活動として作文指導をしてくれた小学校の先生でした。先生は、私が理系よりであることを理解した上で、自分で調べて自分の考えや解決策を書くことをすすめてくれたのです。

　小学4年生ではじめて応募したときは、上位5位には入れなかったものの、審査員の方々からすばらしい評価をいただきました。それが励みになり、翌年も挑戦したところ、光栄にも1位を獲得することができました。昨年は物語に挑戦し、科学技術で未来を思い描くストーリー仕立てにしました。このコンテストの一番いいところは、上位5位に入らなくても審査員のフィードバックが得られ、どこを改善すればいいのかを教えてもらえる点です。

■ 4Hクラブのパブリックスピーキング＆デモンストレーションコンテスト（4H Club Public Speaking and Demonstration）

　これまで参加した中でも大好きなコンテストですが、一番神経がすり減ったコンテストでもありました。過去に参加した他のコンテストは、メールやポータルサイトから応募申し込みを

したら、あとは忘れてしまえました。ところがこのコンテストは、人前に立ってメッセージを伝えるというものなのです。

　私が人前でスピーチするコンテストに挑戦したいと思ったのは、小学生のころに学校でプレゼンの練習をしていたときのことです。オバマ大統領やビル・ゲイツなど、自分の考えを伝える人たちを見て、大勢の人の前で堂々とスピーチをすることを夢見るようになりました。私のやる気を見てとった母は、スピーチする機会を用意しようと、コンテストを主催している近くのクラブを見つけてきてくれました。コンテストの準備は楽しいものでした。小学4年生になるまで、ドレスアップしたり、親指をいじるくせをこらえたり、セリフを覚えたりするのが好きだったからです。私にとって大切な経験となり、最高の思い出ができました。

　大会当日、私は4Hクラブの仲間と一緒に参加しました。仲間たちの間には、健全なライバル心がありました。土曜日の午前中に約2〜3時間かけて競技を行い、その後、郡大会、州大会へと進む勝者が発表されます。賞品の賞状とリボンをもらうとうれしくて、郡大会、州大会に再び挑戦しようと思えるのです。2、3年連続でトップ3に入りましたが、他の生徒たちのそれぞれ独特なスタイルを見て、さらに学ぶところがありました。私が吸収したものの本質は、前向きな姿勢だったのだと思います。11歳でこのコンテストに参加してからは、大勢の人々の前で話すことに自信がもてるようになりました。

　ある年のデモンストレーションコンテストで、私は金融についてのプレゼンを用意しました。株式市場や債券、銀行への投資方法や、リスクとリターンのモデルを調べたものです。9歳

ころだったでしょうか。強気市場（ブルマーケット）と弱気市場（ベアマーケット）という概念を学びました。当時は市場を理解することの重要性についてあまり考えていませんでしたが、今は高校卒業を控えていることもあり、経済の知識を身につける必要性を強く感じつつあります。大学の学費が州内でも州外でもこれほどかかるとは知りませんでしたし、家賃、食費、書籍代その他もろもろの追加費用は数ドルどころではすみません。このテーマを選んだのは幸いでした。なぜなら、節約、返済、そして今あるお金を本当に必要なものに使うことについて学べたからです。これは、学校では教えてくれない重要なスキルです。だからこそ、私はこのテーマを選んで具体的に説明し、他の10代に学んでもらいたいと思ったのです。

　私はあるテーマにのめりこむと、人前で話すときの緊張が消えます。私がいわんとしていること、そのテーマに関して私にどんな知識があるのかをだれも知らないからです。私はスピーチの内容をコントロールできるたったひとりの人間で、聴衆の興味をひき、きいてよかったと思える時間にするのが私の役目なのです。

■ 各種ライティングコンテスト（PBS kids、Kids are Authors／Letters about Literature）

　コミュニケーションで人の心を動かすには、印象的な文章を書く能力や、ストーリーを伝える能力も重要です。ライティングコンテストへの参加は、書く能力をのばすのにぴったりの方法です。グループで参加したことも、個人で参加したこともありますが、テーマやルールをぬきにして、物語を思いつくまま

につづるのは楽しいものです。楽しみながら学ぶ。それこそが、こうしたコンテストの目的です。友だちと一緒に、マンガ作りについて学ぶこともできました。「キッズ・アー・オーサーズ（Kids are Authors）」は、創作のコンテストで、参加者はグラフィックノベルやストーリーマンガを制作して応募します。7歳や8歳のころは、勝ち負けは関係ありませんでした。重要なのは、楽しむこと、そしてたくさんの学びを得ることでした。こうしたコンテストに挑戦して、自分の作る本のイラストを描くことで、ライティングのスキルだけでなく、絵のスキルも向上したのです。

　子ども向け番組「PBSキッズ」のライターズコンテストで優勝した年もありましたし、読書感想文コンテスト「レターズ・アバウト・リテラチャー（Letters about Literature）」では、数年前に選外佳作に選ばれたこともあります。これらの評価を受けたことで、次の年もがんばろうというやる気がおきました。残念ながら、スカラスティック社はもう「キッズ・アー・オーサーズ」コンテストを開催しないそうですが、同社はほかにもライティングコンテストをいくつか主催しています。

■ ヤングサイエンティストチャレンジ（Discovery Education 3M Young Scientist Challenge）

　ディスカバリーエデュケーション社と3M社が米国の中学生向けに毎年実施する「ヤングサイエンティストチャレンジ」は、小学5年生から中学2年生までの生徒を対象としたコンテストです。日常の問題の解決策を説明する1〜2分の動画を提出すると、25,000ドルと3M社の独占メンターシップを獲得す

るチャンスが得られます。私は5年生のときに地元の4HクラブでSTEMと作文の先生に紹介されたことがきっかけで、このコンテストに挑戦しはじめました。受賞したプロジェクトやアイデアの中には、テストまで終わっているものもあったので、自分に十分な参加資格があるとは思えませんでした。でも、それで応募をやめる気にはなれませんでした。

　応募アイデアのもとになったのは、当時よく視聴していた「ナショナル ジオグラフィック」で目にした、アジアやアフリカにおける毒ヘビ被害です。治療を受ける間もほぼないまま、多くの農家の人たちがヘビにかまれた傷がもとで命を落としていました。地元のベルモント大学の教授が、自分のArduinoとパンフレットをくれて、プログラミングをしてみないかと誘ってくれました。プログラミングを学ぶ過程で、非接触型サーモグラフィというものがあり、それが熱反応を検出できるということを知りました。そこで思いついたアイデアが、かまれた箇所の体温変化を利用して、毒ヘビによる咬傷を素早く検出するという解決策です。でも、それをどう実現すればいいのかはわかりませんでした。私はその考えをパワーポイントにまとめ、解決策を紹介するために短い動画を作りはじめました。

　私には動画編集の技術がなかったので、父に編集ソフトがほしいとねだったところ、父は「We-Video」を1か月分契約してくれました。私は自力で撮影・編集作業にとりかかりました。最初はとても大変で、失敗すると一から撮影をやり直したりしていました。でも、すぐに効率よく作業できるようになりました。

　このコンテストが、アイデアを実現するプラットフォームを

提供してくれた最初のコンテストとなりました。ファイナリストの賞品の一部として、メンターとのペアリングがありましたが、これは私たち全員の人生を変えるものでした。参加した最初の年、私は州の優勝者となり、翌年にはファイナリストのトップ10に入りました。

■ イーサイバーミッション（eCYBERMISSION）

イーサイバーミッションは、小学6年生から中学3年生までの生徒を対象に、オンラインで実施（じっし）するSTEMコンテストです。自身の個性の発見を促（うなが）し、科学、技術、工学、数学が実生活にどのように応用されているかを生徒たちに気づかせることを目的としています。

私がこのコンテストに挑戦（ちょうせん）したのは、情報科学の先生が学校の授業で紹介（しょうかい）してくれたからです。このコンテストは楽しく魅力的（みりょくてき）で、チーム作業をするいい機会になります。チームメンバー全員が最後までベストをつくす必要がありますし、チーム作業の長所と短所を理解するのにも役立ちます。

地域のファイナリストに選ばれると、バーチャルでプロジェクトを発表する機会があります。ファイナリストになれば、ワシントンDCで発表することができます。このコンテストで一番ありがたかったのは、助成金で自分のアイデアを実践（じっせん）できたことです。

■ テクノベーション・ガールズ（Technovation Girls）

非営利団体「Technovation」が世界中の10代チームを対象に、毎年開催（かいさい）しているコンテストです。テクノロジーで現実の

問題を解決するのに必要なスキルを学び、アプリを作って競います。女子限定で、個人でもチームでも参加可能です。私は過去3年間、このコンテストに挑戦してきました。

すでにいくつもの研究プロジェクトの合間に入っていた時期だったので、個人での挑戦です。審査はバーチャルで行われ、プログラミング能力やコミュニケーション能力に対して貴重な意見をもらえます。ファイナリストに選ばれると、決勝プレゼン大会が開かれる1週間のイベントに招待されます。私にとって一番よかったのは、他国の問題を見聞きできたこと、そして自分が大問題だと思っていたことが、他の地域では問題視されていないと知ることができたことです。目からウロコの体験でした。

コンテスト参加をきっかけに、製品を構築して市場に投入するという起業面についても考えることになりました。競合製品の調査、SWOT分析（訳注・企業の事業戦略を策定するときに用いるフレームワークの一種）、ビジネスモデルの構築、ターゲット市場のダイナミクスの理解、マーケティングの4P分析（訳注・Product、Price、Promotion、Placeの頭文字をとったマーケティング戦略のフレームワーク）を学びました。おかげで、高校のマーケティングの授業に向けて十分な準備ができました。

◼ イグナイト・イノベーション学生コンテスト
（The Ignite Innovation Student Challenge）

TCS社とディスカバリーエデュケーション社が共催する「イグナイト・イノベーション学生コンテスト」は、小学6年生から中学2年生（10歳以上）の生徒を対象にしたコンテストです。

モバイルアプリ、ウェブサイト、ロボット、ウェアラブル技術などのデジタルソリューションのアイデアを募集しています。このコンテストの形式のいいところは、短期間でプロトタイプを開発するというしばりがなく、将来とりくみたいアイデアでもいいため、解決策を自由に想像できるところです。エピオーネはこのコンテストではじめて誕生しましたが、参加時はまだ別の名前でした。エンドユーザーに届く製品にしたいというアイデアの段階でも、提出は可能でした。

■ プロジェクトCSガールズ（ProjectCSGirls）

このコンテストは中学生女子を対象に、現状をいい意味で変革し混乱を呼びおこすようなパワフルなプロジェクトを募集しています。コンピュータサイエンスのみに焦点をしぼるのではなく、中学生の女の子たちをSTEMでワクワクさせたいという使命を担っているところが、私のお気にいりです。創始者であるプージャさんの講演を、2015年に公文式の全国大会できいたことがあります。彼女はとてもやさしく、私心の無い性格で、コンピュータサイエンスのキャリアを選ぶことを女の子たちに奨励するため、多大な尽力をしています。決勝大会で一番よかったのは、カジュアルな雰囲気だったおかげで一生の友だちができたことです。

■ ジーンズ・イン・スペース（Genes in Space）

中学1年生から高校3年生までの生徒を対象に、宇宙開発の課題を解決するDNA実験のデザインで競うコンテストです。私は3年連続で挑戦し続けてきました。私のガイド兼メンター

であるケイトリン先生のおかげで、このコンテストへの挑戦をずっと楽しめています。中学2年生のとき、チームの一員として一度だけ表彰されたことがあります。この大会に参加したことで、科学的な文章を書く力が上達しました。

■ ビズワールド・ガールプレナー（BizWorld Girlpreneur）

8歳から18歳までの女子を対象に、事業のアイデア、あるいはすでに運用中の事業で競うコンテストです。私は2回応募しましたが、やはりコンテストに参加することで、マーケティングやコミュニケーションのスキルを向上させることができました。もっとも、ファイナリストに選ばれた2回とも他の予定が入っていたために参加できず、出場は見送らざるを得ませんでした。公式サイトに掲載された写真や決勝大会の様子は感動的で、その場にいたらさぞかし印象に残る体験になったのではないかと思います。

■ パラダイムワールドチャレンジ（Paradigm World Challenge）

4歳から18歳までの児童・生徒を対象に、思いやり、創造性、コラボレーションを駆使して現実社会の問題にとりくむことで競うコンテストです。テーマは決められていますが、どのような方法で問題を解決するのかは自由です。このコンテストの個人的に気にいっているところは、絵、文章、音楽、STEMスキルなど、どんな才能を使ってもいい点です。テクノロジーを使って問題を解決すること以外にルールはなく、思いやりを重視しています。ファイナリストに選ばれると、子どもから大

人までだれもが夢見るレジャーであるディズニーランド旅行がプレゼントされます。また特許出願の支援が得られるほか、弁理士からの指導を受けられます。私がこのコンテストで感銘を受けたのは、特定の才能をみがくことを強いるのではなく、あらゆる形でのイノベーションを奨励しているところです。創設者一家は心から歓待してくれるので、参加者とその家族にとってすばらしい経験になるでしょう。

■ ブロードコムマスターズ（Broadcom MASTERS）／
国際学生科学技術フェア（ISEF）

ほとんどの理系学生に知られているコンテストです。応募するには、提携している地元のサイエンスフェアに参加しなくてはなりません。私はちょうど2年前に、地元の大学の研究者とのつながりやフィードバックを求めて参加するようになりました。審査員が面談し、研究内容を伝えるチャンスをあたえてくれるフレンドリーな環境で競いたい人にとっては、すばらしい出発点になるでしょう。

おすすめのサイエンスキャンプ

■ コード・ウィズ・クロッシー（Kode with Klossy）

メイカーズ・カンファレンスで、スーパーモデル兼起業家のカーリー・クロスにお目にかかり、光栄にも一緒のステージに立つことができました。世界中の女の子にインスピレーションをあたえたいという彼女の熱意とエネルギーは、こちらも感化

されてしまうほどです。彼女が全米で展開している「コード・ウィズ・クロッシー」は、13歳から18歳までの女の子を対象にした無料のプログラミングキャンプです。私も2020年のコード・ウィズ・クロッシーで奨学生に選ばれたことで、実社会に役立つスキルを身につけ、プログラミングの知識を固めることができました。たくさんの女の子たちと親しくなれただけでなく、今も一緒にサイトや斬新な解決策を作り続けています。

■ STEMスカウト（STEM Scouts）

　私がSTEMスカウトに初参加したのは、4年生のときです。テネシー州で試験的に行われたプログラムでした。このプログラムではじめて、くわしいガイドつきで実際に自分の手を動かし、目で見て納得できる実験を経験することができました。今でもSTEMスカウトのプログラムに参加していますが、ほとんどのテクノロジーや科学の概念は、このプログラムで教わったものです。時にはここを通してコンテストに参加することもあります。STEMスカウトは、リーダーになること、失敗すること、挑戦することを楽しく学べる学習環境です。正解を得ることにこだわらず、試して、考えて、また試すという形で多くの体験にとりくむことができます。

　ここではくわしくふれませんが、他にもいくつかのコンテストに参加しています。
　IEA（Institute for Educational Advancement）のサイトで、興味のある分野や学年に応じたコンテスト情報を見ることができま

す。自分の学年に合わせて、自分がどこにエネルギーを集中させたいかを探り、年間計画を立てるのにぴったりのガイドです。巻末の「情報源」（228ページ）を見て、「助成金や奨学金を得るための情報源」の一番上のリンクからたどってください。

　私は常にコンテストに重点的にとりくんでいます。ぬるま湯から出て、新しい技術を学ばざるを得ないような状況に自分を追いこみたいのです。フィードバックを得るまでの道のりに集中し、応募に必要なスキルを高めるのは、非常に実りのある経験になります。コンテスト応募で得たスキルは応用が利き、高校生活でも活用できるからです。友だちや人脈が得られることが多いのも、コンテスト出場の重要なメリットです。すべてのコンテストに全力を注ぐことなどできないということは、心に留めておきましょう。でも、自分のスキルをのばしたり、とりくんでいるイノベーションに対するフィードバックを得たりするのに役立つコンテストには、参加を検討してみてはいかがでしょうか。小学校、中学校、高校の各学年ごとに、異なる大会に挑戦する計画を立てるのもよいでしょう。

結 論

　本書は私のストーリー、プロセス、経験、そしてヒントを1冊の小さな本にまとめたものです。書きたいこと、みなさんに伝えたいことはまだまだたくさんあるのですが、紙幅には限りがあります。

　おさらいとして、私たちがたどったプロセスをふり返りましょう。

ステップ1 観察する
ステップ2 ブレインストーミング
ステップ3 調査する
ステップ4 制作する
ステップ5 伝える

　本書の冒頭で私が出した課題を覚えていますか？　私が提示したプロセスを変更する方法をひとつ見つけてください、という課題です。ブレインストーミングの時間をふやすのでも、観察の方法を変えるのでもかまいません。ステップをまぜたり、自分がやりやすい順番に入れかえたりしてもいいでしょう。変えても変えなくてもいいのですが、イノベーターズ・ノートにプロセスを変える方法を書きこむのは、そんなに時間はかからないと思います。

第1章もふり返ってみてください。最終的な目標は何でした
か？　いつスタートしましたか？　目標は達成されましたか？
時間がかかりましたか？　もしかして、早めに終わりました
か？　イノベーションに必要な時間は人それぞれです。やりや
すい時間の使い方を、自分で見つけましょう。

　実感がわかないかもしれませんが、これはもう私のプロセス
ではありません。これは、あなたのプロセスです。さらには見
知らぬだれかのプロセスであり、みんなのプロセスです。イノ
ベーションは、人それぞれ多様な解釈があるものです。

　この本はもうすぐ終わりですが、もっと知りたい方は、ぜひ
私のYouTubeチャンネル「Just STEM Stuff」とブログ（https://
gitanjali-jss.blogspot.com/）をチェックしてください。読書、学習、
イノベーションを続けるための情報を発信しています。

みなさんのモチベーションがアップするように、もう少し続けます。何度もいうように、私たちはこれまでに存在もしなかったような問題を目のあたりにする世界で育っています。本書を読んでくれている人は、アイデアを出すことが大好きで、イノベーションへの第一歩をふみだしたいと思っている人でしょう。そんなみなさんに、私は何のためらいもなくいえます。あなたはすでにそれに必要なものを手にしていると。大きな夢をもち、クリエイティブに考え、だれもやったことのないことをして、自分をかき立てるものを見つけましょう。やりたいことは何でもできます。

　イノベーションは、必ずしも結論が出るものとは限りません。とにかく自分の考えを伝えればいいというものでもありませんし、コンテストに出たり多額の賞金を獲得したりするために行うものでもありません。イノベーションとは、思いやりの気持ちで人助けをしながら、自分自身、そして自分の能力を発見するということです。ひとつのイノベーションがひとつの街を救うことだってあります。何千ものイノベーションが世界に送りだされたら、どうなるかを思い描いてください。私たちの地球は、これまで以上によいものになっていくでしょう。イノベーションは、アイデアを仕上げればそれでおしまいというものではありません。ある症状をおさえたらまた別の症状をおさえるというように、どんどん次に進んでいくのがイノベーションです。

　問題はどこにでもあり、アイデアはいつもわいて出てきます。イノベーションを止める必要はありません。必要なときには休んでください。でも、すぐに再開したいと思うはずです。

作業の区切りごとに、イノベーションをおこすごとに、より多くのチャンスがもたらされ、やる気が生まれます。変化をもたらし、リスクをとり、自信を育みましょう。イノベーションをおこし、アイデアを出し続けてください。私が提供したのは、基本のレシピです。「革新的なアイデアや製品」という名のすばらしい料理に仕上げるのも、おいしいデザートを焼くのも、あなたの手にかかっています。

　もうご存じかもしれませんが、私は偉人の言葉で締めるのが好きです。これは大好きな科学者、マリー・キュリーの言葉です。

「人生に恐れるべきものは何もない。あるのは理解されるべきものだけだ。今はさらに理解されるときである。そうすれば恐れはさらに少なくなるだろう。」

　グッドラック！　みなさんに期待しています。

授業計画

ステップ1
「観察する」の授業計画

1. 授業計画に目を通す。
2. 生徒が回答するワークを選ぶ。生徒の人数分のコピーを用意するか、ワークシートをダウンロードしてプリントアウトする。
3. 調べものをするため、インターネットにアクセスできるようにしておく。
4. グループでも個人でも作業可。

時間：60分

　目的：生徒のやる気を呼びおこし、この世界に変化をもたらすことのワクワク感を引き出す。自分のまわりを観察し、解決したい問題を決めることができるようにする。

　1．導入：10代のイノベーターを紹介し、生徒たちをその気にさせる。
　〈例〉ギタンジャリ・ラオ
・https://www.youtube.com/watch?v=-BN5AyulukA/

米『タイム』誌が選ぶ7人の10代イノベーター

・https://time.com/collection/davos-2020/5765632/young-inventors-changing-the-world/

2. **参画**：地域社会の問題や生徒が情熱を傾けている問題について、生徒主体で議論を進めさせる。環境問題、人間関係の問題、プロセスの問題、技術の問題など、自分たちが認識していて解決したいと思っていることを話し合う。

3. **実践**：あげられた問題の中から、重要な問題であるとクラスの大半から同意を得られた問題を選ぶ。ワークのフィッシュボーン・チャートをどのように書くかについて話し合いをはじめる。フィッシュボーン・チャートを書く目的は、メインの問題における最大の要因を特定することである。フィッシュボーン・チャートに書きこむのは個人でもグループでもかまわない。適切なカテゴリーに分類するにあたり、手助けが必要になる可能性もある。続いて、4マス図に記入して確認の質問に答えられるように指導する。この活動の目的は、生徒が最後まで解決したいと思っている問題を見つけたかどうか確認することである。

評価：各グループや個人は、とりくむべき明確な問題をもっているか。フィッシュボーン・チャートを仕上げる過程で問題を把握できたか。大きすぎる問題を小さな問題に切りわけることで解決の可能性をあげるやり方を理解できたか。切りわけた小さな問題の数々を4マス法を使って分類し、解決できる単独の問題を見つけ出すことができたか。

ステップ2
「ブレインストーミング」の授業計画

1. 授業計画に目を通す。
2. 生徒が回答するワークを選ぶ。生徒の人数分のコピーを用意するか、ワークシートをダウンロードしてプリントアウトする。
3. 調べものをするため、インターネットにアクセスできるようにしておく。
4. グループでも個人でも作業可。

時間：60分

目的：ブレインストーミングの目的を理解し、ブレインストーミングを成功させるための基本的な手順を学ぶ。

1. **導入：**下記の動画を全生徒に見せる。
   リュック・ド・ブラバンデール「創造的思考の再発明」
・ https://www.ted.com/talks/luc_de_brabandere_reinventing_creative_thinking/
   動画の視聴中にメモをとったり、気にいった言葉やおもしろいと思った言葉を書きとめたりするように生徒に伝える。動画が終わったら、生徒に動画の内容をふり返らせ、印象に残ったことを発表させる。
2. **参画：**短時間でアイデアをどんどん出し合うブレインストーミングをやってみる。「どうすれば教室をもっと楽しくで

きるか？」「椅子の座り心地をよくするにはどうしたらいいか？」「試験での不正行為を制限するにはどうすればいいか？」といった、アイデアを出しやすいテーマが望ましい。

　3. **実践**：「ブレインストーミング」のワークを生徒全員に配る。まず初期調査の方法を説明し、ワークに記入させる。生徒に少し時間をあたえ、選んだ問題に対する解決策をブレインストーミングさせる。アイデアは多ければ多いほどよいと念押しする。ブレインストーミングが終わったら、KJ法についてひととおり説明し、重点的に調査したいカテゴリーから発展させるようにする。調査手段を選ぶ前に、どのように調査にとりくむかを考えさせる。

　評価：各グループまたは個人には、調査したい明確なアイデアやテーマがあるか。ブレインストーミングで出すアイデアは、「質」よりも「量」が重要であることを理解しているか。KJ法でうまく書きこみ、分析することができているか。さまざまなアイデアを分類する簡単な方法やコツを理解しているか。調査のステップをはじめる準備はできているか。

ステップ3
「調査する」の授業計画

1. 授業計画に目を通す。
2. 生徒が回答するワークを選ぶ。生徒の人数分のコピーを用意するか、ワークシートをダウンロードしてプリントアウトする。
3. 調べものをするため、インターネットにアクセスできる

ようにしておく。

4. グループでも個人でも作業可。

時間：60分

　目的：調査の実施、他者とのコミュニケーション、調査スケジュール作成などの基本的な事項を理解する。

　1. **導入**：生徒が興味をもっている共通のテーマに投票する。人でも、物でも、活動でもよい。2分間の沈黙の時間を設け、その間に生徒が選んだテーマについてできるだけ多くのことを調べさせる。

　2. **参画**：隣同士ペアにして、調査に対する自分の意見について話し合わせる。話し合いを促す質問（例「調べることは好き、きらい？」「好きな理由は？」「きらいな理由は？」「どうすれば調査が楽しくできると思う？」）を投げかける。話し合いが終わったら、マトリックス法について簡単にレクチャーする。ボード上にマトリックスを作成し、手順をひととおり説明する。

　3. **実践**：「調査」のワークを生徒全員に配る。シート上段で、好きな調査方法は何かを考えさせ、選んだ調査テーマについてすでに知っていることをすべて書きださせる。くわしい人に指導をあおぐことの重要性を紹介し、生徒に専門家やメンターに指導を依頼するメール文を作成させる。今回のプロジェクトでメンターを必要としないとしても、メールの書き方を学んでおけばメンターに連絡をとりたくなったときの練習になることを説明する。各生徒またはグループにマトリックスを記入

させる。記入にあたり、指導が必要な場合があることを念頭においておく。生徒がまだ慣れていない場合は、マトリックス法をおさらいしたり、別のマトリックスを一緒(いっしょ)に書いてもよい。最後に、プロジェクトの予定を書かせ、自分のアイデアをどこに落としこむかさらに考えさせる。

　評価：生徒自身が楽しめる魅力的(みりょくてき)な調査プロセスを作れたか。調査にさまざまな方法があること、そこからさまざまな成果を得られることを認識したか。マトリックス法の使い方、もしくは基本的な概念(がいねん)をしっかり理解したか。くわしい人に指導をあおぐことの重要性を理解したか。予定を組むことの基本的なイメージを把握(はあく)したか。

 ステップ 4
「 制 作 す る 」の 授 業 計 画

1. 授業計画の目的に目を通す。
2. 生徒が回答するワークを選ぶ。生徒の人数分のコピーを用意するか、ワークシートをダウンロードしてプリントアウトする。
3. 調べものをするため、インターネットにアクセスできるようにしておく。
4. グループでも個人でも作業可。

時間：60分

目的：それまでに決めた問題の解決策の作り方の背景にある

基礎をおさらいする。テクノロジーを用いて制作を何度もやり直し、特徴を定義する。

1．**導入**：各生徒または各グループに紙2枚と鉛筆を用意する。あたえられた材料だけを使って自立する構造物を作るように指示する。難易度が高いが、生徒たちは既成概念にとらわれずに考えはじめることになる。

2．**参画**：「制作する」とはどういうことか、そのために使えるテクノロジーについて、簡単なレクチャーを行う。ナノテクノロジー、遺伝子工学、人工知能などの概念を紹介し、これらの多彩な概念についてメモをとらせたり絵を描かせたりする。特徴と機能性という概念をとりあげ、ウォータースライダーの例をあげて説明する。

3．**実践**：「制作する」のワークを生徒全員に配る。生徒に最初のスケッチを2枚描かせる。世界一美しいスケッチである必要はないと念押ししておく。生徒たち自身が理解できればよい。続いて、どんな材料を使えるかを生徒たちが分析できるように指導する。生徒たちを手助けするために、教室にあるもので使えるものは何かという質問に答える。必要であれば、自宅から機器をもちこむこともできると伝える。特徴と機能性のリストを生徒に示し、それぞれの上位5つのアイデアをあげさせる。最後は、教えられたテクノロジーの中から生徒たちが気にいったものについて、理由を書かせる。これは将来的に何を使って自分の解決策を改善していきたいかを特定するのに役立つ。

評価：解決策の制作に使えるさまざまなテクノロジーがある

という確信をもてたか。どのような材料が利用可能で、スケッチしたものを作るために何を入手する必要があるかを確認したか。自分の解決策の特徴や機能性を定義できるか。変化に適応し、失敗がプロセスの一部であることを理解しているか。最初のプロトタイプを完成させ、仲間と作業を共有できる段階にいるか。

 ステップ5
「伝える」の授業計画

1. 授業計画の目的に目を通す。
2. 生徒が回答するワークを選ぶ。生徒の人数分のコピーを用意するか、ワークシートをダウンロードしてプリントアウトする。
3. 調べものをするため、インターネットにアクセスできるようにしておく。
4. グループでも個人でも作業可。

時間：60分

目的：生徒が自分のアイデアを堂々と伝え、解決しようとしている問題への認識を広められるようになる。

1. **導入：**生徒たちに、今日は先生が発表するから評価をつけてほしいと伝える。まず自分の好きな動物と、その動物が好きな理由を発表する。生徒には、よくできた点と改善点を指摘

してもらう。時間が許せば、それぞれ異なるスタイルで、2つか3つトークをする。たとえばあるトークでは静かに話し、別のトークでは、目を合わせないようにする、というように。

2. **参画**：S.P.E.A.K. のプロセスを生徒に伝え、クラス内で議論をはじめる。議論の一環として、「伝える」ステップ内の「S.P.E.A.K.」のエクササイズを実施する。エクササイズのとりくみはクラスごとでも、個人でも、グループでも可。

3. **実践**：「伝える」のワークを生徒全員に配る。まず、生徒に S.P.E.A.K. のエクササイズをふり返ってもらい、S.P.E.A.K. の5つのうちで一番好きな要素、うまくいった点、次はもっとうまくできそうな点について簡単な報告をしてもらう。次に、自分の解決策を同級生に伝えるために、60秒の短い動画を撮影することを教える。動画はスマホのカメラや簡単なデジタルカメラでも撮影できる。動画制作ができない場合は、スピーチで代用するのも可。生徒には、60秒動画の企画を立てさせる。企画と撮影にかかる時間は、15分から20分程度を見ておく。最後のワークでは、イノベーションのプロセス全体について、3つの単語で簡単なふり返りを行う。クラス全体で行っても、個人で行ってもよい。

評価：S.P.E.A.K. を使いこなせるようになったか。同級生の前で発表することに慣れたか。自分のテーマを伝えるために動画を制作することについてよく理解したか。自信をもって前向きにイノベーションのプロセス全体にとりくめたか。自分たちの改善点、イノベーションを続けたい問題を明らかにすることができたか。

謝辞

　本書の執筆は苦労もありましたが、やりがいがあるものでした。困っているときにそばにいてくれた多くの人の絶え間ない支援と励ましがなければ、書き終えることはできなかったでしょう。

　私が通っている高校「STEM スクール・ハイランズ・ランチ」とその先生方に感謝を。私が教室で想像し、探求し、クリエイティブなリスクをとることを許してくださいました。

　メンターであるキャスリーン・シェーファー博士、セレネ・エルナンデス‑ルイーズ博士、ジェニファー・ストックデイル博士、レネイ・ラハティ博士、マイケル・マクマリー博士に感謝します。いつも私を信じてくださってありがとうございました。

　多くの組織が長年にわたって私に投資し、地域社会に変化をもたらすという情熱を共有してくださいました。現代の深刻な問題に対する認識を高めるための機会やリソースを提供し、科学による解決策の可能性を高める援助をしていただきました。もっとも重要なのは、ビジョンをもつだけでは不十分だと教えていただいたことです。実用的で費用対効果が高く、地域社会の課題に合った解決策を開発することも、同じくらい重要だと教わりました。これまで私に協力してくださったすべての組織に感謝します。とりわけ、フィメール・クォーシェント社、

グーグル社、マイクロソフト社、AT&T社、ジェイコブズ社、アルテミデ社、ハスブロ社は、私の活動に注目し、投資してくださいました。

　チルドレン・カインドネス・ネットワークと、創設者であるテッド・ドライヤー氏に感謝します。思いやりへの意識を広めるために活動し、私をそのミッションに加えていただきました。

　TEDとTEDxグループに感謝します。私が思いやりとイノベーションについてのメッセージを世界中に伝えることを支援し、尽力してくださいました。

　私のSTEM推進パートナーであるディアナ・ブロンリン氏とケイトリン・エリオット氏は、私のイノベーションのプロセスについて、生徒が理解し、とりいれやすくなるように貴重な意見をよせてくださいました。

　私の両親、祖父母、そして弟は、長きにわたった執筆の間、常に根気強く支えてくれました。一歩一歩をともに歩んできた家族に感謝したいと思います。

　最後になりましたが、本書の出版に際しご協力いただいたパルディス・サベティ博士、シンディ・モス博士、タラ・クロフスキー氏、カーリー・クロス氏に多大なる感謝を。

情報源

■ グロース・マインドセットを保つ

- https://www.opencolleges.edu.au/informed/features/develop-a-growth-mindset/
- https://www.mindsetworks.com/parents/
- https://blog.irisconnect.com/uk/community/blog/5-attributes-of-a-growth-mindset-teacher/

■ 自宅を科学実験＆モノづくりの研究室にする

- https://makezine.com/2017/04/11/how-to-set-up-your-own-lab/
- https://www.thoughtco.com/home-chemistry-lab-607818/
- https://blog.adafruit.com/2014/01/06/creating-a-mini-maker-space-at-home/

■ テクノロジー、3Dデザイン、プログラミングの学習サイト

- https://www.codecademy.com/
- https://code.org/　※日本語対応有り
- https://www.technologyreview.com/
- https://www.tinkercad.com/　※日本語対応有り
- https://www.khanacademy.org/computing/computer-

programming/

■ 特許出願のやり方

- https://www.uspto.gov/patents-application-process/search-patents/
- https://www.sciencefriday.com/articles/young-inventor-file-patent/
- https://www.uspto.gov/kids/teens.html/
- https://www.sciencenewsforstudents.org/article/patent-advice-teen-inventors/

■ 技術的な研究論文の書き方

- https://www.enago.com/academy/writing-first-scientific-research-paper/
- https://www.theengineeringprojects.com/2019/06/how-to-write-a-technical-research-paper.html/
- https://www.elsevier.com/connect/how-i-published-in-a-scientific-journal-at-age-12/

■ ビジネスモデルの作り方

- https://technovationchallenge.org/curriculum/entrepreneurship-9-business-plan/
- https://bizkids.com/resources/business-plan/
- https://homesweetroad.com/business-ideas-for-kids-business-plan/

■ 研究発表用の三つ折りパネルやポスターの作り方

- https://www.sciencebuddies.org/science-fair-projects/
  competitions/advanced-display-board-design-and-tips/
- https://www.sciencebuddies.org/science-fair-projects/science-
  fair/science-fair-project-display-boards/
- https://www.makesigns.com/

■ メンターを見つけるための情報源

- https://www.nsf.gov/crssprgm/reu/list_result.jsp/
- https://www.mentoring.org/take-action/find-a-mentor/
- https://scholar.google.com/
- https://academic.microsoft.com/home/

■ ソーシャルメディアで認知度を高める方法

- https://influencermarketinghub.com/how-to-become-an-
  influencer
- blog.hootsuite.com/social-media-activism/
- https://www.onegreenplanet.org/animalsandnature/tips-to-
  help-you-become-a-better-activist-on-social-media/

■ 助成金や奨学金を得るための情報源

- https://educationaladvancement.org/resource/scholarships-
  competitions/
- https://www.davidsongifted.org/search-database/entry/
  a10483/

- https://www.davidsongifted.org/search-database/entry/a10861/
- https://scholarshipfund.org/apply/other-sources-of-tuition-assistance/

訳者あとがき（日本版情報源）

　ここでは、ギタンジャリさんが紹介したアメリカの情報を参考に、訳者が調べた日本独自の情報をまとめています（すべての情報は2021年6月現在のものです）。

日本の10代が参加できる主な科学コンテスト

■ 国際コンテスト

国際学生科学技術フェア（ISEF）

　世界75か国以上の国と地域の高校生が競う国際的なコンテストです。日本から参加する場合は、ISEFと提携する科学コンテスト「日本学生科学賞」「高校生科学技術チャレンジ」のどちらかに研究作品を応募し、上位入賞者に選ばれる必要があります。くわしくは、NPO法人日本サイエンスサービスが運営する「ISEF情報サイト」（http://isef.jp/）をご覧ください。

テクノベーション・ガールズ

　アメリカのNPO法人が主催する女子中高生向けのアプリコンテストです。日本の一般社団法人Waffleが、日本リージョン公式アンバサダーとして、日本からの参加希望者へのサポートを行っています。くわしくは、Waffleの公式サイト（https://

waffle-waffle.org/）をご覧ください。

EUヤングサイエンティストコンテスト

　中学生・高校生（15〜20歳）を対象に、EU（欧州連合）が主催する科学コンテストです。日本からは提携している「日本学生科学賞」で選出されることで参加できます。

■　国内のコンテスト

日本学生科学賞（JSSA）

・https://event.yomiuri.co.jp/jssa/

　中学生・高校生を対象に、科学の7分野の研究作品を募集する日本でもっとも伝統のある科学自由研究コンテストです。物理、化学、生物、地学、広領域（複数の分野にわたる研究など）の5つの分野は各都道府県ごとに募集を行い、都道府県代表に選ばれた作品が中央審査に進みます。情報・技術、応用数学分野は全国一括での事前審査の後、中央審査に進みます。

高校生・高専生科学技術チャレンジ（JSEC）

・https://manabu.asahi.com/jsec/

　高校生と高等専門学校生を対象にした、科学技術の自由研究コンテストです。動物科学、行動・社会科学、物理学・天文学、地球・環境科学、ロボット工学・知能機械、環境工学など21のカテゴリーから科学・技術・数学の自由研究を募集しています。上位入賞者はISEFに日本代表として出場します。

つくばScience Edge サイエンスアイデアコンテスト

・https://www.jtbbwt.com/files/user/ScienceEdge/

中学生、高校生を対象とした、科学に関する「アイデア」で競うコンテストです。

アプリ甲子園

・https://www.applikoshien.jp/

中学生、高校生を対象としたスマートフォンアプリ開発コンテストです。

U-22 プログラミング・コンテスト

・https://u22procon.com/

22歳以下を対象にしたプログラミングの作品提出型のコンテストです。

全国学芸サイエンスコンクール

・https://www.obunsha.co.jp/gakkon/

小学生・中学生・高校生を対象に幅広いジャンルの作品を募集している旺文社主催のコンテストです。サイエンスと学芸の2系統12部門にわかれ、サイエンスジャンルでは理科自由研究・自然科学研究などの部門から応募できます。

高校生ビジネスプラン・グランプリ

・https://www.jfc.go.jp/n/grandprix/

高校生および高等専門学校生（1〜3年生）を対象とした、日本政策金融公庫主催のビジネスプランコンテストです。

STEAM JAPAN AWARD

・https://steam-japan.com/award/

中学生・高校生を対象に、みずから設定した社会課題を解決した施策を募集するコンテストです。

高校生バイオサミット

・https://www.bio-summit.org/

山形県、鶴岡市、慶應義塾大学先端生命科学研究所が主催する、全国の高校生を対象とした生命科学の研究コンテストです。

　この他、国内から応募できる科学コンテストについては、NPO法人日本サイエンスサービスが運営する「科学自由研究.info」（http://kenkyu.info/）の「科学自由研究コンテスト情報」のページが参考になります。

STEM系プログラム

CoderDojo Japan

・https://coderdojo.jp/

CoderDojoは7〜17歳を対象とした非営利のプログラミング道場です。世界各国で展開しており、日本には233以上の道場があります。Python、Rubyなどのプログラミング言語から、電子工作、Raspberry Piなど、道場ごとに学べる内容は変わります。

Life is Tech!

・https://life-is-tech.com/

　中学生・高校生を対象とした国内最大級の IT・プログラミング教育サービスです。スマホアプリ制作、ゲームプログラミング、Webデザイン、Webサービス制作などのコースがあります。

ソニーものづくり教室

・https://www.sony-ef.or.jp/monodukuri/

　ソニーグループの技術者や研究者が講師となり、小・中学生を対象にしたモノづくりのワークショップを全国各地で開催しています。

アルケミスト Jr. プログラム

・https://www.panasonic.com/jp/corporate/center-tokyo/akerue/program.html

　パナソニックが運営する、小学4年生から中学3年生を対象とした子ども向けの会員制モノづくりプログラムです。3Dプリンターやレーザーカッターなどのさまざまな機器を備えた同社の施設で実施され、エデュケーターのサポートのもと各種機器を使ってモノづくりに挑戦できます。

埼玉大学 STEM 教育研究センター

・http://neo.stem-edulab.org/

　小学生〜高校生を対象に、ロボット技術やプログラミングをとり入れたSTEMキャンプを各地で開催しています。

アジアサイエンスキャンプ
・https://www.jst.go.jp/cpse/risushien/asc/
　国立研究開発法人科学技術振興機構（JST）が主催する、ア
ジア地域の高校生のための国際的な科学技術合宿です。アジア
各国から選抜された高校生が参加し、ディスカッションなどを
通じて交流を深める場です。

日 本 語 の 情 報 源

■ グ ロ ー ス ・ マ イ ン ド セ ッ ト に つ い て

TED Talks キャロル・ドウェック：必ずできる！— 未来を信じる「脳の力」—
・https://www.ted.com/talks/carol_dweck_the_power_of_
　believing_that_you_can_improve?language=ja/

■ 自宅やレンタルスペースでモノづくりや科学実験を はじめる

Make：「DIYバイオ研究室の作り方」
・https://makezine.jp/blog/2017/04/how-to-set-up-your-own-
　lab.html

fab なび：日本全国のファブ施設（ファブスペース／メイカースペース）を紹介
・https://fabcross.jp/list/series/fabnavi/

■ テクノロジー、プログラミングの学習サイト

Progate
・https://prog-8.com/
ドットインストール
・https://dotinstall.com/
CS50 for Japanese：コンピュータサイエンスの入門
・https://cs50.jp/
STEAM ライブラリー - 未来の教室
・https://www.steam-library.go.jp/

■ 3Dプリンター用無料データサイト

3D モデラボ
・https://modelabo.net/
3d CAD DATA .com
・https://www.3d-caddata.com/

■ 特許出願のやり方

特許庁「初めてだったらここを読む〜特許出願のいろは〜」
・https://www.jpo.go.jp/system/basic/patent/
科学自由研究.info「学生・若手研究者のための特許　基礎編」
・http://kenkyu.info/mentor/0.html

■ 技術的な研究論文の書き方

「高校生のための科学論文の書き方」（拓殖大学工学部　寺内かえで）
・http://www.nara-wu.ac.jp/core/booklet/pdf/book03.pdf

■ ビジネスモデルの作り方

武蔵大学「ビジネスプランをつくってみよう〈基礎編(きそへん)〉」講座
PV ～ gacco：無料で学べる大学講座
・ https://www.youtube.com/watch?v=BDVG0KTsthE/
日本政策金融公庫(きんゆう)「ビジネスプラン作成のポイント」
・ https://www.jfc.go.jp/n/grandprix/plan.html

■ 研究発表におけるプレゼン資料・ポスターの作り方

伝わるデザイン｜研究発表のユニバーサルデザイン
・ https://tsutawarudesign.com/

■ メンターを見つけるための情報源

公益財団法人 日本科学協会「サイエンスメンタープログラム」
・ https://www.jss.or.jp/fukyu/mentor/

■ ソーシャルメディアで社会課題の認知度を高める

社会課題の認知拡大やファン獲得(かくとく)といった効果も。NPOのた
めのソーシャルメディア活用事例
・ https://ferret-plus.com/9974/
いまフォローしておきたい！ 社会課題に対する若者の動きが
知れるTwitterアカウント6選
・ https://note.com/spark_tmh/n/nfc1bb7fe311b
Members　クリエイターズブログ「インスタは学びのツール？
Z世代的アクティビズムのススメ」
・ https://creators.members.co.jp/2020/12/knowledge_003/

■ 助成金や奨学金を得るための情報源

スタディサプリ進路「奨学金はじめてナビ」

・https://shingakunet.com/rnet/column/syougakukin_column/

コンパスナビ　お役立ち情報：奨学金・資格取得等助成金の最新情報を掲載

・https://compass-navi.or.jp/information/

海外留学支援サイト「海外留学のための奨学金」

・https://ryugaku.jasso.go.jp/scholarship/

著者

ギタンジャリ・ラオ

2005年米国オハイオ州生まれ。早期鉛検出装置「テティス」の発明で「アメリカで最も優れた若き科学者」に選出され、EPA（米国環境保護庁）の大統領賞を受賞。遺伝子工学を利用した鎮痛薬オピオイド依存症の早期診断装置「エピオーネ」や、AIと自然言語処理を利用したネットいじめ防止サービス「カインドリー」の発明者でもある。2019年に「フォーブスが選ぶ科学界の30歳未満の30人」、タイム誌の「最も優れた若きイノベーター」に選出。イノベーション、および世界中で実施するSTEMワークショップが過去2年間で4大陸の3万5千人の学生にインスピレーションをあたえたとして、2020年にはタイム誌初の「キッド・オブ・ザ・イヤー（今年の子ども）」に選ばれた。ワークショップでは、自身のイノベーションのプロセスを、世界中の学生たちが使えるように伝えている。TEDスピーカーとしての経験も豊富で、グローバルなフォーラムや企業のフォーラムで、イノベーションとSTEMの重要性について発表している。

訳者

堀越英美 　ほりこしひでみ

1973年生まれ。文筆家・翻訳家。早稲田大学第一文学部卒業後、出版社、IT系企業勤務を経てライターに。二女の母。主な著書に『不道徳お母さん講座』『モヤモヤしている女の子のための読書案内』（河出書房新社）、『女の子は本当にピンクが好きなのか』（Pヴァイン）、『スゴ母列伝』（大和書房）など。訳書に『ガール・コード』（Pヴァイン）、『世界と科学を変えた52人の女性たち』（青土社）、『ギークマム』（オライリー・ジャパン、共訳）。

A YOUNG INNOVATOR'S GUIDE TO STEM
by Gitanjali Rao
Copyright © 2021 by Gitanjali Rao
Japanese translation rights arranged with Post Hill Press, LLC
through Japan UNI Agency, Inc., Tokyo

Cover photo © Sharif Hamza
Interior illustrations by Cody Corcoran

ギタンジャリ・ラオ
STEMで未来は変えられる

2021年9月22日　初版第1刷発行

著	ギタンジャリ・ラオ
訳	堀越英美
装丁・デザイン	小口翔平＋三沢稜＋後藤司(tobufune)
発行人	志村直人
発行所	株式会社くもん出版
	〒108-8617　東京都港区高輪4-10-18
	京急第1ビル13F
	電話　03-6836-0301(代表) 03-6836-0317(編集)
	03-6836-0305(営業)
	https://www.kumonshuppan.com/
印刷所	図書印刷株式会社

NDC507・くもん出版・240p・19cm・2021年
Translation © 2021 Hidemi Horikoshi　Printed in Japan
ISBN978-4-7743-3229-1
本書に掲載の情報はすべて2021年6月現在のものです。
CD 34231